CW00950217

Petits règlements de comptes en famille

Nicole Prieur

Petits règlements de comptes en famille

Albin Michel

« L'éthique serait cette dette que je n'ai jamais contractée. »

Emmanuel Levinas

Introduction

« On ne construit pas l'avenir sans régler les comptes du passé. » Au printemps 2009, Barack Obama réhabilite haut et fort les règlements de comptes, une pratique banale en politique, qui a toujours été plus ou moins dissimulée. En parler haut et fort lui donne une légitimité et valorise ce processus.

Les sphères de l'intimité, qui abritent les relations entre parents et enfants, dans le couple, dans la fratrie, ont toujours été, elles aussi, le théâtre de douloureux règlements de comptes, qui souvent ne disaient pas leur nom, mais n'en minaient pas moins les liens et fragilisaient davantage encore les individus. En comprendre les mécanismes et faire apparaître leurs effets pervers, loin de tous préjugé ou considération morale, montre qu'il n'est pas si dangereux de régler ses comptes en famille. Et que cela peut même être un précieux facteur d'évolution.

Depuis quelques années déjà, je m'attache à restaurer ce qui a mauvaise presse. Thérapeute, je suis chaque jour émerveillée par la profondeur de l'humain, par les ressources créatives de mes patients, petits et grands. Philosophe de formation, je cherche à penser les transformations radicales de nos sociétés. Dons de sperme, d'ovocytes, d'organes, les progrès scientifiques permettent des échanges totalement inédits, ouvrant des perspectives extraordinaires mais non sans risque de dérive. Une véritable révolution anthropologique bouleverse les relations entre les individus, modifie l'organisation des liens affectifs et des échanges dans les familles. La complexification des structures familiales et de nos contextes de vie entraîne celle de notre système de dons, de dettes et de loyautés.

Tout cela étant à la fois déstabilisant et passionnant, j'ai éprouvé le besoin d'aller voir l'envers du décor. Notamment en m'éloignant d'une idéologie qui essaie de nous persuader que la famille est le véritable lieu du bonheur, de l'épanouissement des individus, qu'il suffit de s'aimer pour construire ce havre de paix, ce cocon protecteur. Ce discours est tellement éloigné de ce que vivent les enfants, les hommes, les femmes qui viennent me voir, et qui mettent tant de temps parfois pour se dégager de l'emprise d'une mère abusive, d'un père absent, d'un échec affectif… L'amour qui peut régner dans les lieux de l'intime n'empêche pas qu'ils regorgent de jalousie, rivalité, haine, soupçon, rancœur…

Convaincue qu'il s'agit là d'une piste intéressante, la curiosité m'a amenée à aller visiter les côtés sombres du réel, de l'humain, à regarder le négatif pour faire apparaître le positif, le sublime.

Pour l'accomplissement de soi, tout ne se joue pas en famille : combien d'individus se sortent de leurs blessures familiales grâce à un épanouissement professionnel, associatif, amical qui leur a permis de faire barrage à la violence des « bons sentiments » des leurs ? C'est pourquoi, si l'on veut aborder l'articulation des liens de sang, de cœur et d'argent, il faut mettre en évidence la spécificité des échanges à l'intérieur de chacun de ces sous-systèmes : couple, parents-enfants, famille recomposée, et cela varie avec les époques de la vie.

Ainsi, ma réflexion m'a conduite aux antipodes de stéréotypes tels que « Quand on aime, on ne compte pas ». Plus les liens sont forts, étroits, profonds, plus on tient compte de tout. Quand on aime, tout compte. Loin de s'opposer à l'amour, les comptes y sont intimement liés. Ils ne sont pas volontaires, ni tout à fait conscients, et tissent leur toile au plus profond de l'intimité de la relation. Quelque chose compte en nous, souvent à notre insu.

Passagers clandestins de la relation affective, amoureuse, les comptes inscrivent leur calcul dans notre corps même. Quand notre cœur a mal, le corps n'oublie rien. Dans une mémoire dormante, bercée par notre inconscient, ils constituent cette musique de fond de notre humeur. Si on a l'impression d'avoir notre compte dans la vie, alors la musique est plutôt légère avec des notes printanières, ensoleillées même en hiver. Si on a le sentiment qu'on ne compte pas pour l'autre, que finalement rien ne compte, que tout nous est égal, alors le gris nous enveloppe de sa tristesse. Dès que le vent tourne, a fortiori si le navire prend l'eau (séparation, divorce, héritage…), ils resurgissent. L'inconscient se fait entendre et l'heure des règlements de comptes, plus ou moins sanglants, sonne.

Les comptes familiaux sont aussi inévitables qu'impossibles à solder car ce qui circule ne se mesure pas. Certains donnent du temps, de leur personne, et attendent en retour de l'affection, de la fidélité ; d'autres de l'argent et voudraient de la reconnaissance. De l'affectif, du symbolique, des regards, de l'attention, on ne cesse de comparer ce qui n'est pas comparable, parce qu'il n'y a pas d'unité de valeur. Le livre des comptes familiaux est un vaste fourre-tout, dans lequel chacun a son propre mode de calcul.

Et puis quiconque prétendrait être comptable dans la famille rassemblerait le groupe contre lui. Exit l'illusion d'objectivité. On se raconte qu'on n'a pas (plus) la place qu'on mérite, qu'on ne reçoit pas (plus) assez par rapport à ce que l'on donne. On aimerait recevoir sans avoir à demander. On ne comprend pas pourquoi ce que l'on donne avec sincérité et amour ne suffit pas à rendre l'autre heureux. Le don n'est jamais là où on voudrait qu'il soit, la reconnaissance non plus.

Alors, comment s'y retrouver? Si tout est compté, certaines choses comptent-elles plus que d'autres? Quels sont les comptes auxquels nous devons porter attention et ceux qui sont insignifiants? À quoi cela sert-il de compter? Peut-on tout régler? À qui devons-nous rendre des comptes?

Démêler l'écheveau des acomptes, mécomptes, décomptes, et dus, rendus, attendus dans les familles est nécessaire. Les comptes familiaux obéissent à une logique très éloignée de la logique marchande, soumise à la règle du donnant-donnant et de l'exonération. En famille, nous ne serons jamais quittes, parce que dans le foisonnement des échanges, les dons et les dettes circulent sans jamais s'équilibrer.

Échappant au calcul, la valeur du don réside dans la force du geste, et dans notre capacité à reconnaître la main qui se tend vers nous. Dans une famille, on gagne et on perd dans un tissage incessant, sans pouvoir faire la balance entre les pertes et les profits, car on ne mesure jamais vraiment ni ce qu'on reçoit ni ce qu'on donne. On ne sait même pas qui reçoit vraiment ce que l'on donne, ce que l'on transmet.

En fait, ce que je propose, c'est d'ouvrir un livre des comptes. En découvrant la richesse de ce concept, on verra à quel point on s'est laissé enfermer dans la logique marchande, qui ne représente qu'une petite parcelle du vaste champ (chant ?) sémantique des « comptes ». Cette notion est très féconde, elle nous ouvre les portes de la rencontre avec l'autre, de l'altérité, de l'éthique, de la spiritualité même. Il en est question à tous les niveaux de l'existence.

En voici quelques exemples. *Compter pour l'autre, compter sur l'autre, compter avec l'autre* : ces expressions interrogent la place de chacun, la solidité du lien, la confiance possible, en un mot la qualité de la relation. *Prendre à son compte, mettre sur le compte de, être en compte, s'en tirer à bon compte, agir pour le compte de, rendre des comptes, demander des comptes, tenir compte* : les comptes, ici, nous situent sur le registre de la responsabilité de chacun, sur celui des droits et des devoirs, de notre engagement dans la relation. *Se rendre compte, être loin du compte, faire ses comptes, demander des comptes, c'est sans compter que* : les comptes renvoient à notre capacité d'analyse et de discernement. *Y trouver son compte, en avoir pour son compte* : ici les comptes ont à voir avec notre aptitude au plaisir, à la jouissance. *Régler un compte, arrêter un compte, le solder, recevoir son compte, laissé-pour-compte, en fin de compte, tout compte fait, ton compte est bon, pour solde de tout compte* : ces expressions évoquent la fin de la relation. *J'y compte bien, à compter de* tournent le regard vers le devenir, le futur. *Donner sans compter* signe la générosité.

Ainsi, nous pourrons conjuguer le verbe *compter* sous toutes ses formes : je *compte sur* toi, tu *comptes pour* moi, il ou elle *compte avec* nous…

Mais au fait, que peut-on vraiment régler des comptes du passé ?

L'abord de ce thème sera à certains moments déroutant, il nous fera souvent sortir des sentiers battus, il ira plus d'une fois à l'encontre de certaines idées reçues. Mais il se révélera un allié précieux pour mieux comprendre les relations familiales. Les comptes sont liés à la question existentielle de la place de chacun dans sa famille… et les règlements de comptes qui en découlent sont l'expression d'une déception, d'une souffrance, pour le moins d'une demande de changement.

1
Peut-on échapper aux petits règlements de comptes dans l'intimité ?

Les fêtes de famille : une occasion de régler ses comptes ?

« Qui j'invite à mon anniversaire ? Mon beau-père ou mon père ? Et ma sœur, elle est fâchée avec notre demi-frère, je ne sais pas si elle voudra venir. Ça me fait plaisir de réunir tout le monde, mais c'est un véritable casse-tête ! »

« On est invités chez tes parents à Noël, mais l'année dernière, ça a été tellement la foire d'empoigne ! Je ne sais pas si j'ai envie d'y aller cette année. »

« Mon frère s'est remarié, il ne m'a pas invitée. Quand je pense à toutes les fois où il est venu chez moi quand il allait mal, qu'il se sentait seul. C'est fini, il ne remettra plus les pieds chez moi. »

« J'appréhende d'aller passer les vacances chez mes parents, ils font sans cesse des réflexions à mes enfants, alors que les petites pestes de ma sœur ont le droit de faire n'importe quoi, ma mère ne leur dit rien. Ça a toujours été comme ça : ma sœur, c'est la fragile, la gentille, on lui passe tout. »

« À chaque anniversaire, c'est la même chose ! Je me

décarcasse pour trouver à chacun un cadeau susceptible de faire plaisir, je passe du temps, je ne regarde pas à la dépense, et mes frères et ma mère, qu'est-ce qu'ils m'offrent ? Des horreurs à trois francs six sous ! Et je n'ose rien leur dire ! »

Les fêtes de famille ou autres occasions de retrouvailles créent des émotions contradictoires. Le plaisir de se retrouver le dispute à la crainte que n'éclatent des contentieux qui gâcheraient l'ambiance. Fadaises que de penser qu'il suffit de s'aimer pour que tout se passe bien. Au contraire, l'amour exacerbe plus qu'il n'apaise les petits règlements de comptes. L'intimité des liens attise les attentes, les exigences. On peut accepter d'un étranger ce qui, venant d'un être cher, nous blesserait profondément. Plus on aime quelqu'un, plus il y a de choses à régler avec lui.

Les réunions de famille censées renforcer le lien, le sentiment d'appartenance, sont souvent une épreuve, à laquelle on se prépare plusieurs jours à l'avance. Refuser d'y participer, c'est s'exclure, refuser de les organiser, c'est perdre le lien. « Si je ne réunissais pas la famille, ma sœur, mes nièces aux grandes fêtes, on ne se verrait plus. » On tient à ces rituels qui célèbrent l'unité de la famille, sa cohésion, malgré tout, mais qui mettent en scène la symbolique du « corps familial » avec ses blessures, ses écorchures et aussi ses tentatives de réunification. Que d'énergie ! Chaque année on se demande si cela vaut la peine, et chaque année on recommence…

Terrain miné, lieu privilégié des règlements de comptes, les fêtes de famille mettent en évidence l'étendue des comptes non réglés et nous y replongent froidement, tapis qu'ils sont restés au fond de notre cœur, prêts à resurgir à la moindre goutte d'eau qui fera déborder le vase. La joie des retrouvailles est parasitée par tous les contentieux, qui d'une manière étonnante subsistent, inchangés, à travers les années et font toujours aussi mal. Toute la question est de savoir ce qu'on va faire de tous ces comptes non réglés. Peut-on espérer les régler ? Peut-on s'aimer si tout n'est pas réglé ? Jusqu'où les comptes non réglés entravent-ils le lien ?

Les comptes non réglés de l'enfance refont surface, souvent avec une charge émotionnelle quasiment intacte malgré les années. Tout adulte responsable et respectable que l'on soit devenu, l'effet régressif de ces fêtes est garanti.

> « On a beau être des adultes, quand on se retrouve tous ensemble, c'est comme si on redevenait enfants. J'éprouve le même sentiment de jalousie, de rage devant mon frère aîné, la même colère devant mon père qui ne me pose aucune question sur ce que je fais. J'ai toujours cette impression que je suis transparente pour lui. »
>
> « À quarante-cinq ans, ça me met toujours en colère quand j'entends ma mère me dire : “Tu devrais faire ceci, cela…” Elle continue à me prendre pour une gamine ! J'ai beau le lui dire, rien ne l'arrête, et je n'arrive pas à rire ni à prendre de la distance. Ça me touche encore beaucoup ! »

Et, pire piège, tous les comptes qu'on aimerait régler à la place des autres.

> « Depuis le temps que mon père se fait rabrouer par ma mère, je ne sais pas comment il supporte cela. Moi, à sa place, je ruerais dans les brancards. Parfois je suis tenté de le faire à sa place. »

Pour entretenir parfaitement la confusion des sentiments, aux contentieux avec notre famille d'origine s'ajoutent, bien sûr, les comptes en suspens avec notre famille actuelle... Bref, chacun vient avec un panier de comptes bien rempli !

Lever le tabou

Le thème des comptes et règlements de comptes en famille, sans doute un des derniers sujets tabous, est généralement accueilli par un sourire convenu : « J'en aurais, des choses, à vous raconter ! », suivi d'un silence gêné, car le linge sale se lave en famille.

L'existence des tabous a un sens, elle est liée à un contexte socioculturel et idéologique. Dans les structures familiales traditionnelles, le système des échanges, des dons, dettes et loyautés entre le chef de famille, son épouse, l'aîné de la fratrie était codifié, de même que les lois de succession. Les inégalités flagrantes liées à ce système pouvaient être plus ou moins bien vécues, mais étaient difficilement remises en cause. Le père de famille était le garant, et chacun devait lui rendre des comptes. Remettre en cause les comptes, vouloir les régler autrement revenait à attaquer l'autorité paternelle. Avec le risque d'être déshérité. Les mariages étaient alors avant tout des arrangements autour des dots.

L'évolution des structures familiales, celles des relations intrafamiliales, la place de chacun dans des constellations de plus en plus complexes, l'importance du développement personnel, la transformation des valeurs, la recherche du bonheur individuel, mais aussi la place de l'argent dans le couple, la transformation des processus de succession et bien d'autres choses encore ont modifié en profondeur le système des échanges dans l'intimité. Bien qu'on ait du mal à le reconnaître, on compte dans nos familles contemporaines, mais ce ne sont plus tout à fait les mêmes choses qui comptent. Sur le plan de l'organisation concrète des échanges, ce ne devrait plus être un tabou, mais l'émotion suscitée encore montre que cela le reste quand même.

Or lever le tabou devient urgent. La famille contemporaine est de plus en plus traversée par des réalités économiques. À chaque cycle de la vie familiale, les comptes se font et se refont, impliquant la dimension économique. La constitution du couple, l'arrivée d'un enfant, le décès d'un parent, les héritages, les divorces, séparations, la prise en charge d'un parent âgé, les solidarités intergénérationnelles sont autant de moments où resurgissent les liens d'argent, qui se trouvent être étroitement liés aux liens de cœur et de sang. Penser l'articulation de ces différentes composantes des relations familiales plutôt que de les opposer peut nous aider à mieux vivre cette complexité.

Non, parler d'argent n'est ni nauséabond ni inconvenant quand on parle d'amour. Oui, ça compte à l'intérieur d'une famille, de sorte que les tentations (tentatives) de règlements de comptes ont un sens. Chacun veut *avoir son compte*, personne n'a envie d'être *laissé pour compte*, tout le monde voudrait pouvoir *compter sur* les autres. Mais qu'il est difficile parfois de *compter avec* les autres. Inévitables dans la fratrie, très utiles dans les couples, les petits règlements de comptes sont insolvables entre parents et enfants. On ne compte pas tout à fait les mêmes choses dans les relations intergénérationnelles, fraternelles ou dans les relations de couple. La balance entre dons et dettes, entre loyauté et liberté ne peut s'équilibrer de la même façon dans chacun de ces liens. Ce qui pourra être juste entre une mère et un fils ne le sera pas forcément entre un homme et une femme par exemple.

Lever ce tabou répond donc aussi à une exigence de justesse d'analyse. Si on veut comprendre ce qu'il se passe dans les familles, il faut aller voir ce qui est compté par les uns et par les autres. La complexité actuelle des échanges augmente les conflits de loyauté. Jusqu'où être loyal envers un beau-père, une demi-sœur ? Envers qui l'enfant adopté est-il en dette : sa mère biologique, sa mère adoptive ? Comment définir une indemnité compensatoire, une pension alimentaire ? Les dettes affectives, morales, les pertes vécues lors de séparations douloureuses peuvent-elles être liquidées, soldées par une somme d'argent ?

L'exigence éthique impose aussi la levée du tabou. L'idéal d'une famille lisse, unie, où il suffirait de s'aimer conduit à des impasses. Pour être heureux en famille, l'amour, aussi indispensable soit-il, ne suffit pas. L'angélisme ne nous permet pas d'aller là du côté des enjeux relationnels, dans l'ombre de la conscience. Les bons sentiments sont parfois toxiques, destructeurs.

Il n'est pas facile d'admettre que l'on compte en famille. Dans la mesure où ce n'est pas gratifiant sur le plan narcissique, on préfère se raconter qu'on ne compte pas.

> « Rancunier, moi ? Pensez donc ! Et pourtant, à trente-cinq ans, j'ai encore le souvenir cuisant de l'année où ma mère a oublié de fêter mon anniversaire, alors qu'elle avait fait une surprise grandiose à ma sœur ! »

Reconnaître qu'il y a, qu'il y a eu, ne serait-ce qu'un soupçon de ressentiment, voire d'esprit de vengeance, chatouille notre identité. On aurait plutôt honte de passer pour mesquins, regardants, pour jaloux. Plutôt tout rejeter en bloc ! Et pourtant, reconnaître ces mauvais sentiments libère. Dans le déni, nous nous défendons de ce que nous sommes et cela nous fragilise. Admettre qu'on a pu penser mal, qu'on en a voulu aux êtres les plus chers nous permettra bientôt de passer à autre chose.

La sacro-sainte image de l'amour désintéressé, de la famille généreuse, dévouée au bonheur de tous, n'est-elle pas qu'un mythe ? Tout est compté dans notre société. Les chiffres dirigent nos gestes les plus quotidiens et ordinaires. Et sans doute cela nous rend-il plus exigeants, trop souvent insatisfaits : nous n'avons jamais assez de temps, de loisir, d'argent, pas de vêtements à la mode… Alors que dans la sphère publique tout est chiffres, dans la sphère privée exit tout ce qui ressemblerait de près ou de loin à du calcul, comme si les sentiments avaient un pouvoir dissolvant sur l'argent. Comment pouvons-nous croire que, comme le nuage de Tchernobyl, les comptes s'arrêtent au seuil de la famille ? Par quel tour de passe-passe les comptes n'entreraient-ils dans ce haut lieu de l'amour ?

Ainsi, reconnaître l'importance des comptes familiaux nous fera toucher la face obscure des relations familiales, et les côtés sombres de ce que nous sommes. C'est ainsi que nous pourrons accéder à une éthique relationnelle plus assurée, mieux établie, qui nous conduira vers plus de générosité. Compter, ce n'est pas être calculateur. Les comptes ne pervertissent pas les liens intimes, au contraire, ils sont un moyen pour y introduire une éthique relationnelle. Étudier ces comptes contribue à mettre en évidence les codes moraux, les axes éthiques essentiels autour desquels peut se déployer le « bien vivre avec ». Plus on mettra au jour l'entrelacement de ces deux mondes, moins on confondra leur logique, et mieux on pourra instituer une justice en famille.

Une demande de reconnaissance

« C'est pas juste, j'en fais trop. Tu pourrais m'aider un peu, j'ai jamais de retour ! »

« Tu ne te rends pas compte de tout ce que je fais pour toi ! Ça devient insupportable, ce manque de reconnaissance ! Je mérite plus de respect, tout de même ! »

« Je n'ai pas eu de cadeau pour mon anniversaire, je ne suis pas près de l'oublier. Il ne perd rien pour attendre ! D'une manière ou d'une autre, il va me le payer. »

« Je compte pour du beurre ou quoi ? Il m'en demande toujours plus, mais lui, qu'est-ce qu'il fait ? J'en ai assez que les choses aillent toujours dans le même sens ! »

« Il n'y en a toujours que pour mon frère. Depuis qu'il est petit, il y a deux poids, deux mesures. Ça suffit ! »

Que ce soit entre parents et enfants, dans la fratrie ou dans un couple, les petits règlements de comptes sont l'expression d'un sentiment d'injustice et témoignent d'une souffrance longtemps retenue, difficile à dire sans débordements. Quand on se sent lésé, humilié, désavoué, quand on ne se sent pas reconnu, pas respecté, on déterre hache de guerre et calculette. On compte, on compare ce qu'on donne, ce qu'on reçoit…

Les souffrances les plus profondes s'enracinent dans les manques et les pertes. Ce que je n'ai pas ou plus, ce que je n'aurai jamais, en un mot ce qui vient en creux, en négatif, pèse particulièrement lourd dans la balance des injustices familiales. En fait, quand le plus important dans la relation est absent, les petits règlements de comptes sont un appel au changement, une demande de réparation, afin de *remettre les compteurs à zéro, changer la donne, solder les comptes*, en un mot rétablir la balance des échanges de manière plus équitable. Ils visent la mise en place d'un équilibre plus juste. Quand ils y parviennent, les petits règlements de comptes sont de précieux facteurs de régulation du lien. Ils ne remettent pas en cause la relation et peuvent au contraire la renforcer.

Par contre, quand le changement n'est pas au rendez-vous, les frictions s'enveniment. Et les règlements de comptes vont obéir à une autre logique. On passe des fâcheries utiles à l'esprit de vengeance destructeur. Régler ses comptes signifie alors punir sur le mode de la loi du talion : œil pour œil, dent pour dent. Un degré est franchi. Ces grands règlements de comptes n'obéissant pas tout à fait à la même logique risquent d'aboutir à de véritables déchirements, des ruptures au sein des familles, la constitution de clans, de coalitions. Ils sont la résultante de relations rigides qui n'ont pas pu évoluer, ni se transformer.

En réalité, que demande-t-on quand on cherche à régler ses comptes en famille ou dans un couple ? Avant tout une réassurance : « Est-ce que je compte pour toi, est-ce que je peux compter sur toi ? » C'est une question sur la solidité du lien. La profondeur du sentiment d'injustice ne se comprend que liée au sentiment de ne plus compter pour quelqu'un qui compte encore pour nous.

Compter en famille, c'est revendiquer une reconnaissance. C'est à sa juste valeur que chacun aspire à être reconnu.

« Elle rêvait d'un homme aux petits soins, comme son père l'était avec elle, mais moi j'ai ma propre manière de lui montrer que je l'aime. Elle ne s'en rend pas compte et cela crée des difficultés entre nous. »

« Mes parents veulent absolument me mettre dans un cadre, que je réponde à leur idéal d'enfant parfait pour eux, ou presque, c'est insupportable ! Je voudrais qu'ils prennent en compte ce que je suis, moi. Du coup je leur en veux, et on se dispute souvent… »

Ce qui compte avant tout, c'est d'être reconnu dans sa singularité et non pas regardé à travers le prisme d'un idéal ou de projections sclérosantes. On se sent alors exister, on est renforcé dans son identité.

En fait, l'essentiel n'est pas tant ce qui circule, mais avant tout *entre qui* les échanges se font, la valeur absolument inestimable de chacun. Derrière les récriminations portant sur le cadeau trop petit, l'insuffisance de l'aide reçue, se cache le besoin vital d'être reconnu dans ce qu'on est. Cet appel infini du regard de l'autre se fait entendre sur le terrain du concret où il se manifeste. « Regarde-moi, fais-moi exister, rassure-moi », demande-t-on en fait à travers tout ce que l'on compte. La famille, le couple, la fratrie sont véritablement les lieux où cette reconnaissance est primordiale. Et possible.

Mais ce terme de *reconnaissance* est galvaudé. La reconnaissance ne s'institue pas par décret mais répond à un véritable processus. Il existe un véritable « parcours de la reconnaissance », selon une expression de Ricœur[1]. D'abord, on a besoin d'être reconnu, on est alors dans une certaine position passive, dépendante (niveau 1 de la reconnaissance) : j'ai besoin que l'autre atteste qui je suis. Puis, il s'agit de reconnaître l'autre, ce qui se réalise dans un mouvement actif vers l'autre (niveau 2) : je dis à l'autre comment je le vois. Cela permettra la reconnaissance réciproque : se reconnaître mutuellement, qui est de l'ordre de l'altérité (niveau 3). On échange des regards, ce qui participe à l'ajustement de nos images de soi respectives. Bien sûr, tous les niveaux tissent le « se reconnaître soi-même » (niveau 4). La boucle est bouclée de la manière suivante : plus on se sent reconnu, plus on est reconnaissant. Être reconnaissant étant le niveau 5 de ce parcours essentiel de la reconnaissance.

Ces niveaux me semblent correspondre aux sphères de l'intimité. Entre parents et enfants, les enfants ont besoin d'être reconnus dans leur singularité propre, les parents ont besoin d'être acceptés dans leur réalité : cela correspondrait au niveau 1. Dans la fratrie, il est important de reconnaître l'autre dans son droit à l'existence : on serait au niveau 2 du parcours de la reconnaissance. Le couple est le lieu possible du « se reconnaître » mutuellement (niveau 3). Et il appartient à chacun de se reconnaître soi-même à travers toutes ces expériences (niveau 4). Le niveau 5 se tisse au gré des relations.

Reconnaître l'autre dans ce qu'il est lui permettra de reconnaître ce qu'on fait pour lui. Être reconnu me permettra d'être reconnaissant. Se sentir reconnu dans ce qu'on est permet de moins compter ce qu'on a, et ce qu'on n'a pas. On dépasse le registre de l'avoir quand la relation nous institue dans notre être propre. Ou, plus exactement, l'être et l'avoir se tricotent, se conjuguent ensemble. De même que je n'oppose pas comptes et amour, argent et affection, économique et rêve, je n'oppose pas être et avoir. On existe au croisement de toutes ces dimensions qui constituent le terreau du relationnel. Penser leurs articulations plutôt que de les poser dans leur antagonisme devrait aider les familles… C'est pourquoi un petit règlement de comptes qui apparemment porte sur des broutilles est à prendre en considération. « Si j'ai besoin d'avoir un bouquet pour mon anniversaire, c'est pour avoir la preuve que je suis important pour toi. » Les comptes, loin d'être mesquins, nous conduisent vers la gratitude, vers la possibilité de la bonté.

Une piste pour comprendre les liens familiaux

Ainsi, les comptes se révèlent des alliés pour entrer dans la structure des liens familiaux. Les mathématiques ont contribué au développement de la civilisation et sont un facteur essentiel d'organisation sociale. Les premiers nombres, les premières unités de mesure des surfaces, des poids, ont permis de développer le commerce, les échanges, les relations intertribales. Très tôt, les mathématiques ont été au service du besoin de connaître l'Univers. Ainsi Pythagore confère aux nombres une importance spirituelle, car ils révèlent le lien entre l'humain et le divin : « Tout est arrangé d'après le Nombre. » Et Galilée plus tard : « Le monde est un livre écrit en langage mathématique. » À l'origine des sciences, les maths sont aussi à l'origine de l'art, de l'architecture, et au cœur de la musique. Contribuant à la recherche de l'harmonie et de l'esthétique, de l'équilibre, elles seraient en fait la marque même du vivant inscrit dans l'espace et le temps. Il serait donc impossible de s'y soustraire[2].

Si les maths permettent de comprendre le fondement du

monde, si elles nous aident à accéder à la structure même du réel et de son organisation, pourquoi s'en priver dans le domaine de la famille ? Parce qu'elles étudient le rapport entre les choses, parce qu'elles évaluent les relations entre deux points, parce qu'elles mesurent les différences, les mathématiques nous situent au niveau de l'architecture du lien. Dans le domaine humain, n'est-ce pas cette relation *entre* les personnes qui est essentielle ? Sur le plan des relations, elles peuvent constituer un accès à l'architecture du lien.

Si on admet que le langage structure le réel, oui, la famille est bien sous-tendue par quelque chose qui ressemble aux mathématiques. Ne parle-t-on pas du *triangle* père-mère-enfant, de la nécessité de *réguler la distance*, de *cercle* familial, de l'ado qui cherche à prendre la *tangente*, de vies *parallèles*, de *configuration* familiale ? Freud a parlé de « topiques » pour désigner des « lieux » psychiques. Ces expressions sont directement empruntées au vocabulaire de la géométrie. Quand on dit qu'on *ne fait qu'un*, qu'on a *trouvé sa moitié*, qu'il a *suffi d'une seconde* pour être amoureuse, qu'il (elle) n'est pas *à la hauteur*, qu'il n'a même pas *calculé*, qu'il a fait *le premier pas* ou qu'elle a toujours *le dernier mot*, c'est à l'arithmétique qu'on emprunte ces expressions. Ne nous mettons-nous pas *en quatre* pour faire plaisir à l'être cher ?

Cependant, dans l'intimité, on aborde l'arithmétique comme des bébés, car on compte, mais on compte « en vrac ». Les mathématiques familiales sont floues, vagues. Elles font plutôt désordre. Elles sont loin de la rigueur scientifique. On en reste à des notions telles que « plus, moins, rien, beaucoup, premier, dernier ». À peine sait-on compter jusqu'à 3, 4… Ces comparaisons, additions, soustractions sont pour le moins imprécises. Et les règles appliquées sont un peu bizarres : quand 1 partenaire + 1 partenaire = 1 couple... on voit à quel point les mathématiques affectives et familiales sont fantaisistes !

Pourquoi ? Parce que ce qu'on compte, ce sont des regards, de la confiance, de l'amour. Ce qui s'échange n'a pas de prix, et cela s'échange entre personnes qui sont inestimables l'une pour l'autre. On compte de l'incalculable. Ce flou peut être un énorme avantage aussi. Souvent, il suffit de peu, et c'est déjà beaucoup ! Un appel téléphonique pour un anniversaire, un sourire, une attention. Ce qui est compté est imperceptible, infinitésimal, et peut avoir des effets énormes.

Ce flou est rassurant aussi parce qu'on voit bien qu'il n'est pas question de mettre l'individu ni la famille en équation. Au contraire, tant l'algèbre familiale est limitée. Compter dans la sphère privée, ce n'est pas quantifier, c'est faire apparaître un sens nouveau. Dans la tradition kabbaliste, à chaque lettre de l'alphabet correspond une valeur numérique[3]. Avoir un regard en perspective sur le mot, la lettre et le chiffre permet de faire exploser le sens, le mettre en mouvement. Ce n'est ni un mot qui définit le réel, un sujet, ni un chiffre, mais la considération de l'un par rapport à l'autre qui empêche l'enfermement dans ce qu'on serait tenté de considérer comme *la vérité*. Compter ne revient pas à figer mais à ouvrir de nouvelles perspectives, car le compte est au service du changement. Compter, c'est exister, c'est rester vivant.

Dons, dettes, échanges dans l'intimité

Avoir accès à l'architecture du lien c'est, entre autres, s'intéresser à la circulation des dons.

> « C'est toujours moi qui invite ta famille ! Ça fait trois ans que ta sœur ne nous a même pas offert un apéritif ! La prochaine fois, je lui demande quel goût il a, son pastis ! »
>
> « J'ai quarante ans mais ma mère me couvre encore de cadeaux comme quand je vivais chez elle. C'est trop, ça m'étouffe. J'ai beau lui dire, elle continue. »
>
> « J'ai toujours donné sans compter à mes enfants. Maintenant qu'ils sont grands, je me retrouve seule. J'ai besoin d'un minimum de retour. Je leur ai demandé au moins de me téléphoner régulièrement. »

Quand la balance n'est pas juste, les règlements de comptes appellent à plus d'équité. Mais comment équilibrer dons et dettes ? Trop ou trop peu, pas au bon moment, dans l'intimité les échanges sont tellement denses qu'il n'est pas facile de « tomber juste ». Entre donner et recevoir, le cœur balance.

Le don est au service du lien et, en tant que tel, il n'est pas vraiment gratuit. Les peuplades qu'a étudiées Marcel Mauss[4] échangeaient des dons avec l'intention de créer des liens entre elles. Les dons sont intentionnels. « Ils tissent le lien social, et l'identité sociale. » Ne pouvant être isolés du lien qu'ils créent, ils sont insérés dans une séquence : « donner, recevoir, rendre ». Même rendus, les échanges ne s'arrêtent pas, car un nouveau don est appelé en retour. Une des caractéristiques du don est de toujours dépasser ce qui est rendu. Il y a une propension à donner plus que ce qu'on reçoit.

Le déséquilibre semble lié à la nature même du don qui est avant tout un mouvement irrépressible vers l'autre. Les « J'aime faire plaisir », « J'aime donner », « Je ne peux m'empêcher de donner » ne semblent pas dater d'aujourd'hui ! Le plaisir à donner est réel, avec un « appât du don[5] » aussi puissant si ce n'est plus que l'appât du gain.

La force du don n'est pas explicable par l'intérêt – sinon c'est un contrat –, ni par la seule volonté d'emprise. Le don est rarement triste, mais festif, joyeux pour celui qui donne, ou alors c'est une obligation. Le fait même de donner remplit dans un mouvement qui emporte le donateur. Le don permet de dépasser la dialectique individu-appartenance. Le sujet se sent appartenir à un ensemble plus vaste, le don est au service de l'appartenance. On donne, mais on ne sait jamais qui vraiment va recevoir ; le don ouvre. Donner nous amène au-delà de nous-mêmes. Pour Emmanuel Levinas, donner, c'est donner ce qu'on n'a pas, au-delà de ce qu'on a. « Donner, c'est donner à l'autre la possibilité de désirer[6]. » Ce geste se réinvente à chaque instant de manière absolument inaugurale et absolument risquée, nous ouvre au désir et nous rend encore plus vivants, nous remplit plutôt qu'il ne nous vide. Le don nourrit l'être, l'enrichit, le renforce. « En donnant, écrit Boris Cyrulnik, l'enfant se sent grand, bon, fort et généreux. Son estime de soi grandit par le cadeau, provoque un sentiment de bien-être et tisse un nœud du lien. Ce droit de donner, presque tous les enfants de la rue l'ont découvert. Il serait plus juste de dire que les enfants qui plus tard sont devenus résilients ont été ceux qui, au moment du plus grand désespoir, s'étaient donné le droit de donner[7]. »

Donner peut être thérapeutique ; priver quelqu'un de la possibilité de donner devient alors une terrible injustice. Aimer, c'est peut-être avant tout donner à l'autre la possibilité de donner. La générosité consisterait alors moins à donner qu'à accepter de recevoir ce que l'autre donne.

Il s'avère souvent que donner est plus facile que recevoir.

> « Je ne veux rien devoir à personne. »
> « J'ai du mal à accepter ce qu'on me donne. »
> « Quand un homme m'aime, j'ai l'impression de me perdre, de me diluer dans son amour. »

Recevoir peut être vécu comme un risque, c'est plus difficile qu'il n'y paraît, cela nous rend redevables, nous met à la merci de... Mais surtout, cela nous interroge sur nous-mêmes, sur la valeur que nous nous accordons à nous-mêmes : « Moi qui ai le sentiment que je ne vaux rien, suis-je digne d'un tel don ? Est-ce que je mérite un tel cadeau, un tel amour, la confiance de cet homme ? » Recevoir suppose une bonne image de soi, une identité suffisamment solide. Recevoir peut être vécu comme une menace pour son identité propre, comme une intrusion de l'autre sur son territoire propre, comme une violation du corps. Ce geste peut troubler la perception de ses propres contours psychiques, et physiques. Il suppose de s'ouvrir, ce qui représente une véritable menace pour sa propre intégrité. Recevoir dans l'intimité, c'est recevoir une partie de l'autre. Que puis-je en faire ? Comment ne pas me sentir envahi ? Ce qui est reçu crée une communauté, un partage. « Je te donne ma confiance, je reçois ton amour, désormais nous partageons quelque chose. » Cela peut être vécu comme une mise en péril de son individualité : on se sent engagé, on a peur d'y perdre sa liberté. Recevoir suppose de rendre, et cela institue une relation qui peut faire peur. Ne rien accepter permet, au contraire, de ne pas laisser ce lien se déployer. En ne recevant pas, j'empêche l'autre de donner, je le prive de cette manière de s'accomplir, de se réaliser, en quelque sorte je l'affaiblis. Ainsi la manière de recevoir influence directement l'évolution du lien. Dans la séquence « donner, recevoir, rendre », si j'accepte mal de recevoir, je peux stopper le mouvement, ne pas rendre, ce qui arrêtera ou entravera l'enchaînement. L'aptitude, la capacité à recevoir est pivot dans la relation affective. Si on ne peut recevoir, les liens se fragiliseront.

Quant au rendu, ne comptons pas sur lui pour rééquilibrer les échanges ! « Merci pour le cadeau, mais il ne fallait pas vous déranger. – Oh, ce n'est rien, vous savez. » Comme M. Jourdain faisait de la prose sans s'en apercevoir, nous entretenons parfaitement la circulation des dons. Dire « Ce n'est rien » ou « pas grand-chose », c'est dédouaner l'autre d'avoir à rendre. En effet, il est important de libérer l'autre en permanence. Plus le geste de retour est libre, plus il aura du sens dans la relation, plus on mettra du temps pour rendre, plus on maintient le lien.

Dans les séquences « donner, recevoir, rendre », la dimension temporelle est importante. La réciprocité s'étale dans le temps. Plus le lien est de qualité, plus il supporte l'écart entre le recevoir et le rendre. Dans une relation affective, le rendu n'a pas à être simultané, il s'éloigne de l'équivalence quantitative et de la réciprocité immédiate qui caractérise l'échange marchand. Avoir besoin de solder ses comptes trop vite, c'est l'indice qu'on sort du système de don familial. L'asymétrie est essentielle à l'existence du don dans l'intimité. On est ici dans un principe d'alternance, à chacun son tour, plutôt que d'équivalence. « L'équivalence, c'est la mort du don[8]. » Ce qui circule dans les familles ne peut avoir d'équivalence. Dans l'intimité, dans la chose donnée il y a toujours davantage que la chose. Une partie de moi s'offre et reste attachée à ce qui circule. Et cette « valeur ajoutée » au don est incommensurable.

Nous sommes dans une logique totalement opposée à la logique marchande. Le marché tend à éliminer le temps, c'est une formidable entreprise de liquidation de dettes. La modernité a voulu rompre avec les systèmes économiques précédents. Alors que les monnaies primitives ne mesuraient pas la valeur des choses qui circulaient mais celle des personnes, la modernité a introduit un système égalitaire et permis la libération du système féodal, basé sur une dette négative liée à l'allégeance au souverain, sans équivalence possible. Corvéable à merci, on devait donner « à fonds perdus » pourrait-on dire en simplifiant. On comprend mieux pourquoi l'individu moderne veut se libérer de ses dettes, car leur évocation est négative. L'économie monétaire a introduit une mesure objective, dont la valeur n'a plus rien à voir avec les personnes, ni avec le lien qui les unit, ni avec leur niveau social et culturel. La monnaie élimine les différences : le kilo de pommes de terre coûtera le même prix pour tous. Avec l'apparition de la monnaie et de la valeur marchande des choses, des services, on peut ne rien devoir à personne. Il s'agit ici uniquement de logique utilitaire, de contrats, pas d'affects. La rationalité économique s'organise autour des seuls intérêts.

L'échange monétaire supprime toute dimension symbolique, affective, identitaire. L'argent permet aux choses de circuler sans transporter avec elles l'identité de personne, de rendre l'échange anonyme, impersonnel, limité à la durée de la transaction, et de ce fait chaque individu pourra se déplacer sur le marché, librement, au gré de ses intérêts. C'est indéniablement un immense progrès.

Voici tracée une ligne de démarcation essentielle entre les deux sphères : quand l'amour est là, les dettes restent en grande partie insolvables ; quand le contrat est économique, on peut solder ses dettes. Cette différence est essentielle à identifier. C'est sans doute parce qu'elle est rarement posée avec clarté que le clivage entre compte et amour a besoin d'être aussi fortement maintenu idéologiquement.

Définir les différences des deux registres permet surtout de savoir sur quel territoire on se place. Les comptes ne peuvent pas être les mêmes dans la sphère marchande et dans la sphère affective. Dans un couple, dans une famille, on parle inévitablement d'argent, mais cela aura toujours une connotation spécifique. L'argent qui y circule ne répond pas à la logique marchande, mais à celle de l'affect et du symbolique. Les rapports d'argent sont gouvernés par des normes d'équité qui font appel à des valeurs morales. « La circulation des revenus, des aides, des pensions, des patrimoines et des héritages n'est pas gouvernée par le libre jeu des intérêts, mais par des normes de confiance, de proximité, de sollicitude, sinon de devoir et de culpabilité[9]. »

Passer d'un registre à l'autre sans en être conscient entraîne confusion et souffrance qui peuvent être évitées si on les sépare bien. Il faut savoir à quel « contrat » on se réfère quand on règle ses comptes en famille, celui de l'affect et de l'identitaire ou celui de l'exonération marchande. Justement, au moment où les liens se défont, au moment des séparations, des divorces, successions, la logique marchande tend à reprendre ses droits… Une équivalence est alors revendiquée là où elle ne peut être introduite. L'argent ne peut venir compenser, solder des dettes affectives, symboliques, existentielles. Il n'existe pas d'équivalence entre monnaie et souffrance. On risque de s'abîmer terriblement dans ce faux combat. À un moment donné, il faut apprendre à perdre, pour gagner en apaisement.

Les liens de l'intimité sont bel et bien traversés par les réalités économiques, mais celles-ci échappent à la logique marchande. Dans les liens de cœur, et dans les liens de sang, l'argent est un don qu'il est impossible d'évaluer. Il crée des dettes, un dû, qu'il est impossible de déterminer.

Apprendre à conter

Mais peut-être ne s'agit-il que de contes ! C'est-à-dire d'histoires qu'on se raconte, mêlant imaginaire, fantasmes, projections ? Les comptes ne seraient-ils qu'un ensemble de représentations pouvant se transformer à mesure que notre regard change sur ce que l'on donne, ce que l'on reçoit, ce que l'on attend ? D'ailleurs, une chose est étonnante, ces deux homonymes ont la même étymologie : *compter* et *conter* viennent tous deux du latin *computare*.

Pour que la famille soit juste, pour que les comptes se règlent au mieux, peut-être faut-il avant tout changer nos représentations. Les contes peuvent changer les comptes. Raconter toujours autrement notre histoire, c'est remettre en mouvement notre vie. Quand je me raconte que je n'ai pas ce qu'il me faut, peut-être faut-il commencer par regarder ce que je reçois. Quand on a le sentiment de manque, regardons du côté de ce qui est donné. La manière dont on se raconte les comptes participe au sentiment de justice ou d'injustice, selon le regard que l'on porte sur les échanges qui circulent. Apprenons à faire les contes autrement.

Justement, les fêtes de famille peuvent être d'excellentes occasions pour apprendre à conter autrement. Au cours de la fête, plusieurs stratégies sont possibles : le déni – on fait comme si de rien n'était ; la fuite – on ne vient pas pour se protéger ; la négociation – « Je passe le premier soir de Pessah chez ma mère ; le second, c'est trop. » On cherche la « dose » familiale tolérable pour tous : « Pour les vacances, j'ai trouvé le rythme qui nous convient à tous. Pendant cinq jours, tout est merveilleux, ensuite ça tourne au vinaigre, après chacun étale ses souffrances, accuse l'autre, et rien ne peut avancer. C'est un dialogue de sourds, et ça fait trop de mal à tout le monde. » Quelquefois, justement, on attend ces réunions familiales pour percer l'abcès et régler ses comptes à chaud : « Au prochain ramadan, je dis à mon père qu'il ne me fasse plus de leçon de morale ! Je me suis assez tu jusqu'à présent. » On peut aussi tout « balancer », comme dans *Festen*. Mais heureusement les comptes familiaux ne sont pas toujours chargés d'aussi lourds secrets traumatisants qui d'ailleurs relèvent d'une autre logique que celles des petits règlements de comptes.

Composer, fuir, attaquer… Mais que règle-t-on vraiment ? En famille, tout ne peut être dit, tout ne peut être entendu. Chacun porte en soi ses manques. Se taire, c'est aussi protéger certains membres de la famille. Les petits règlements de comptes en famille nous font buter contre les limites de chacun. Alors que faire ?

On peut profiter des prochaines réunions de famille pour tenter de faire un nouveau conte. En commençant par y aller dans l'optique d'adopter une attitude nouvelle, un peu en retrait, dans une position de spectateur, histoire de prendre un peu de hauteur. De là, on peut découvrir à quel point le microcosme familial est une superbe scène théâtrale. Chacun y tient un rôle, choisi ou assigné. Il y a le « gentil », ou la « gentille », qui se met en quatre pour faire plaisir aux autres, il y a le « petit chef », au masculin ou au féminin, qui veut tout diriger, il y a « M. ou Mme Je-sais-tout », le ou la « consensuel(le) » qui veut rapprocher tout le monde. Avec un zeste d'humour et un large sourire, on finit par s'apercevoir combien il y a de talents dans sa famille. Ensuite, il s'agirait d'entendre tout ce qui ne se dit pas, d'écouter les blessures silencieuses des uns, les peurs inavouées des autres, les limites, les espoirs, les renoncements de chacun. En contact avec toute cette épaisseur, on commence à être attentif à la manière dont chacun se débrouille comme il peut avec sa vulnérabilité. On mesure alors à quel point sa famille est touchante, émouvante. On peut alors aborder la troisième étape : tendre l'oreille sur ce qu'il se passe à l'intérieur de soi. C'est un véritable brouhaha, un désordre tout à fait « normal ». Comment cela pourrait-il être autrement ? Les rencontres familiales éveillent, font vibrer simultanément plusieurs moi qui existent en moi. Quand on se retrouve en même temps avec son frère, sa mère, son beau-père, sa grand-mère, ses propres enfants, son compagnon, nos identités de fille, sœur, belle-fille, tante, mère, petite-fille, femme... réagissent chacune avec leurs désirs, attentes, blessures, insatisfactions. Inévitablement des conflits de loyauté nous tiraillent.

« Je suis là mais mon mari me reproche d'être peu présente dans sa famille. »

« J'ai accepté cette invitation qui prive ma fille d'un anniversaire auquel elle tenait. »

Je suis ici mais une partie de moi n'est pas contente de ne pas faire plaisir à tous les gens que j'aime. Mon « être femme », mon « être mère » sont en conflit avec mon « être fille », mon « être sœur ». Pour peu que ma mère et/ou ma sœur me fasse une réflexion aigre-douce, non seulement je me demande encore davantage pourquoi je suis ici, mais cela rouvre violemment les plaies de mon enfance et celles de ma vie de femme, de mère. Pleure en moi la petite fille que j'étais et qui n'a pas oublié telle ou telle humiliation…

Notre identité est foncièrement hétérogène, constituée de multiples facettes et composantes. Les fêtes de famille nous interpellent sur plusieurs plans en même temps, c'est en cela qu'elles nous troublent profondément. Elles interrogent notre capacité à concilier toutes ces dimensions de notre être. Au cours de ces rencontres, l'identité a tendance à se fragmenter, mettant à mal l'unité intérieure. Cela crée des tensions intérieures qui nous font perdre le sentiment de cohésion interne. On comprend mieux comment ces situations rendent particulièrement vulnérable. Plus on aura fait par ailleurs l'expérience de notre unité, de notre stabilité interne, moins on sera fragilisé par ces situations et on pourra d'autant plus en savourer les plaisirs.

En fait, il s'agit de grandir, pour retrouver le sens de la fête, grandir en s'occupant de la petite fille, du petit garçon qui continue à pleurer en soi, même quand on a trente, quarante, voire cinquante ans, le (la) consoler. Comment cela ? En faisant admettre à l'enfant qu'on était, dont les blessures continuent à nous faire mal, qu'il n'aura pas ce qu'il n'a pas eu, lui faire admettre que certains comptes de son enfance resteront à jamais non soldés. Inutile d'attendre ce qui ne peut venir. Oui, il y a des deuils, des renoncements à faire. Il y a des attentes, voire des espoirs – aussi légitimes soient-ils – à passer par pertes et profits. Il y a des ardoises à laisser sans cesse derrière soi pour ne pas qu'elles empoisonnent notre vie présente. À un moment donné, il faut renoncer à présenter aux parents la facture de leurs errances. Ainsi libéré des comptes non soldés de l'enfance, on pourra s'ouvrir davantage à l'amour du présent. Aimer aujourd'hui suppose en partie l'acceptation de n'avoir pas été aimé, enfant, comme on aurait voulu l'être. L'amour n'est pas le remède miracle, mais il sort gagnant de ce travail de deuil.

Dépasser les petits règlements de comptes en famille, c'est avant tout un cheminement interne. Penser que le problème vient de la mère, du père, du frère, cela nous embourbe, et rigidifie la relation. Mesurer qu'on a une part active dans la construction du lien, une responsabilité, met en mouvement une dynamique nouvelle. Évidemment, on ne supprimera pas la névrose, le mauvais caractère, la toxicité d'une telle ou d'un tel, mais on les vivra autrement. Courage ! Nous ne cessons de grandir, chaque étape de la vie, chaque rencontre nous en offre la possibilité.

De cette manière, on finit par trouver sa juste place dans la famille, et n'est-ce pas ainsi que la famille devient juste, en permettant à chacun d'être à sa juste place ? La justice se situerait alors sur le registre de la justesse. Sans doute cela se fait-il d'autant plus aisément qu'on ouvre au maximum les portes familiales. Être à sa juste place, c'est se placer dans le vaste mouvement de la vie. Aimer l'autre, c'est lui transmettre l'amour de la vie, c'est l'ouvrir à la richesse infinie de la vie, aux ressources qu'il est possible de puiser dans notre environnement le plus familier. Notre force, notre vitalité, vient de ce que nous nous plaçons bien dans notre famille, mais plus encore quand nous parvenons à nous placer dans le mouvement de la vie.

2

Avec tout ce que j'ai fait pour toi !

> « À chaque naissance nouvelle, c'est un nouveau monde qui virtuellement vient à être. »
>
> Hannah Arendt

Les parents ne cessent de donner…

La famille est le premier lieu du don. On donne et on se donne sans compter. Et cela compte beaucoup ! Donner sans compter, ce n'est pas rien.

Le bébé, dès sa naissance, et sans doute avant, reçoit une infinité de choses. À commencer par la vie, incommensurable. Adoré, adulé, il est l'objet de tous les soins, de l'attention la plus vigilante de sa mère et de son père, mais aussi de toute une famille, de toute une culture. Tout un patrimoine génétique, symbolique, culturel, affectif, idéologique lui est transmis, avec un corpus de savoirs, de savoir-faire, des grilles de lecture du monde, des croyances, des valeurs, des règles, des traumatismes, des non-dits, des secrets, des rituels de fête, des deuils plus ou moins faits, bref, entre autres, toute une névrose familiale. Les dons impliquent le meilleur comme le pire.

L'enfant continuera de recevoir de sa famille des dons sous d'autres formes pendant une grande partie de sa vie. Lorsque, devenu adulte, il quittera la maison de ses parents, il recevra des aides variées : aide financière, services rendus pour l'aménagement de son appartement, garde des petits-enfants… Les parents n'en finissent pas de donner à leurs enfants. Même s'ils râlent parfois, il y a souvent une grande part de plaisir dans le fait de donner à ses enfants et petits-enfants, aussi grands et indépendants soient-ils. À peine le mouvement des dons s'inversera-t-il lorsque les parents commenceront à vieillir, à devenir moins autonomes. Il y aura une amorce de mouvements opposés, les solidarités remonteront un peu vers les ascendants.

Nul ne soupçonne vraiment l'étendue de ce qui est transmis, ni de ce qui est reçu. Dons et transmissions sont intimement liés. Bien qu'en partie invisibles, voire inconscients, ils instituent cependant d'importantes contraintes de développement, modèlent les relations. La famille est le premier lieu d'apprentissage de la dette, car les dons créent des dettes, qui à leur tour génèrent des loyautés. L'enfant se trouve lié par tout un système de loyautés. Être loyal implique d'intérioriser les attentes du groupe et d'adapter un comportement conforme à ces attentes. Le bébé, qui n'a rien demandé, est immédiatement endetté, voire surendetté. Sitôt poussé son premier cri, il croule instantanément sous les dus, et sur ses frêles épaules s'accumulent les attentes.

Ces mouvements de don vers les générations nouvelles créent un lien et induisent un mode de relations tout à fait spécifiques. D'où une asymétrie, unique en son genre et exclusive à la relation parents-enfant. Car, honnêtement, que peut vraiment rendre un enfant, quel que soit son âge ? Jamais dons et dettes ne pourront s'équilibrer. Ce que reçoit un enfant est tellement incommensurable qu'il ne pourra – quoi qu'il fasse – s'acquitter de sa dette. La profusion est telle dans le don qu'il est sans commune mesure avec ce qui pourrait être rendu. Mais par ailleurs, les attentes à son égard sont démesurées et imprécises, tenaces et improbables. Il faudrait être l'enfant idéal de papa, de maman, de grand-mère, de grand-père, de la grande sœur, du petit frère, de la nounou… Strictement impossible !

Spécificité absolue du lien parents-enfant, le fait que nul ne puisse remettre les compteurs à zéro inscrit l'individu inéluctablement dans une relation d'obligations envers les ascendants. En tant qu'enfants, nous sommes et restons jusqu'à la fin de notre vie redevables, à l'égard de nos parents, d'une dette de vie, notamment, dont nous ne pourrons jamais nous acquitter pleinement. Entre le don et la dette se déploient les sentiments d'injustice chez les enfants et d'ingratitude chez les parents. Une névrose d'indemnisation, sous couvert de vertu, s'avérera finalement désastreuse, car illusoire. Il n'y a ni équité ni équivalence. Nous sommes inéluctablement inscrits dans une déloyauté. Pour autant, les relations familiales sont-elles condamnées à un immoralisme suspect et serions-nous tous des ingrats ? Certes non !

Cette asymétrie irréductible expose, confronte chacun à trois questions qui l'interpelleront tout au long de sa vie, et auxquelles il apportera des réponses différentes à chaque étape : « Qu'ai-je reçu ? », « De quoi suis-je redevable, envers qui ? », « Que transmettre à mon tour, à qui ? ». Autour de ce questionnement incessant, une subjectivité se construit dans le respect des autres et l'estime de soi, à l'interface de ses désirs et de la réalité. Chaque question se décline à son tour : « Que faire de ma dette, jusqu'où dois-je me sentir redevable vis-à-vis de mes ascendants, que faire de mes loyautés ? Où se situe ma responsabilité envers eux ? Quels devoirs me lient à eux s'ils ont été des parents destructeurs ? À qui, à quoi être fidèle ? » Par les réponses que j'apporterai au fur et à mesure de mon existence, je deviendrai un sujet éthique, donc responsable. L'éthique, c'est cette interrogation constante sur ce qu'on doit à l'autre pour le respecter et ce qu'on se doit à soi-même pour se respecter. Elle ne peut se mettre en place que si on mesure aussi ce qu'on peut attendre de l'autre. Le respect mutuel appelle la mesure par chacun de ses propres attentes et leur ajustement au réel de l'autre.

Dans une famille, la justice appelle des comptes qui viennent réguler les attentes massives réciproques. Aux sempiternels « Avec tout ce que j'ai fait pour toi ! » lancés plus ou moins pesamment par les parents en attente d'un peu de retour, répondent les « Mais moi, j'ai rien demandé à personne » des enfants qui tentent de se dégager de loyautés trop encombrantes. Du côté des premiers, on compte ce qu'on aimerait recevoir ; de l'autre, on évalue tout ce qu'on ne rendra pas. Dans cette dialectique, chacun à sa manière fait ses comptes. Les parents doivent renoncer à l'équilibre des dons et des dettes, ils doivent donner en libérant les enfants d'avoir à rendre au-delà de ce qui est raisonnable. Les enfants doivent accepter les manques irréductibles des parents, renoncer à leur demander des comptes sur ce qu'ils n'ont pu leur apporter. Est-ce à dire que la justice en famille passe par des pertes et des renoncements ? En tout cas, elle suppose que l'on accepte la spécificité de la circulation des dettes inter-générationnelles.

« La vie, on te l'a donnée, c'est un cadeau, il faut en profiter. Et si tu es là, ce n'est pas pour rien. Plus tard, j'aimerais travailler à ce qu'il y ait plus de justice dans les pays », explique Alexandre, dix ans. Est-il d'une rare maturité ? Non, les enfants se posent très tôt la question du sens de la vie, de sa finalité, de leur rôle dans l'Univers. C'est leur manière de se saisir de cette profusion de dons. Quand ils se projettent dans leur futur métier, dans leur vie à venir, pompier, médecin, infirmière, vétérinaire, c'est pour participer au déploiement d'un monde juste : « Ma vie, il faut que j'en fasse quelque chose de bien, nous disent-ils en quelque sorte. Vous me transmettez un monde un peu malade, injuste, guerrier, je vais transformer ce que vous m'avez donné. Merci pour le cadeau. Mais je vais essayer de faire mieux que vous. » On reçoit la vie, mais il appartient à chacun d'en faire quelque chose. Et, par là, de s'inscrire dans la dignité de son humanité comme sujet historique, c'est-à-dire capable d'être responsable de ce que devient ce don. Quand, en tant que parents, nous voyons nos enfants déployer leur force vitale, quand on les voit aimer la vie, malgré les galères, quand on les voit désirants, donc vivants, ne sommes-nous pas récompensés des affres de leur éducation, et même de certaines de nos déceptions ? Peut-on espérer plus beau retour que de les voir évoluer dans le mouvement de leur vie ?

Ce don de vie vient de bien plus loin que nous, et se poursuivra bien au-delà. Nous ne sommes que des passeurs de désir, de vie ; quand nos enfants prennent le relais, nous avons accompli une grande part de notre tâche. Car la vie, nous ne savons pas d'où elle vient et nous ignorons où elle va.

Une des spécificités du lien familial consiste ainsi non pas à rendre à celui qui nous a donné, mais à donner à notre descendance. C'est une façon d'ouvrir le temps. Ce mouvement construit le temps familial, une continuité au-delà de nous-mêmes. La temporalité de l'humain est toujours en tension entre un passé qu'il faut revisiter et un futur qui reste à créer.

Nous sommes responsables avant tout devant l'avenir. L'obligation majeure dans laquelle la vie nous place est celle de transmettre à notre tour, d'engendrer un temps nouveau, en invitant d'autres êtres à être. Chaque humain a comme tâche de construire l'histoire, que ce soit dans son travail, dans sa vie familiale, sociale.

… pourtant ce n'est jamais assez, selon les enfants

Les parents ont beau donner, ce n'est jamais assez aux yeux de leurs enfants. Ils ne répondent jamais tout à fait aux besoins de leur progéniture. Quoi qu'ils fassent, ils ne les empêcheront pas d'avoir des comptes à régler avec eux. Nous nous pensions des pères, des mères suffisamment bons. Nous avions le sentiment d'avoir déjà fait beaucoup pour eux. Nous nous espérions peut-être encore secrètement presque parfaits. Eh bien non, nous avons loupé bien plus de choses que nous ne l'imaginons. « Papa, il n'est pas assez câlin ! », « Maman, elle rentre tard le soir »…

Les parents donnent sans compter à un enfant qui compte ce qu'on ne lui donne pas. L'enfant repère ce qu'il n'a pas. Dans l'abondance de ce qu'il reçoit, ce qu'il remarque, c'est le geste qui n'est pas venu, la parole qui ne l'a pas rassuré.

Ces manques constituent une rupture culturelle dans les relations à l'enfant. La petite fille, le petit garçon du

XXIe siècle a la chance d'avoir des parents qui se préoccupent de ses besoins et tentent d'y répondre le mieux possible. Il est habitué à une certaine correspondance entre ce qui est bon pour lui et les réponses de son entourage. Mais si la réponse n'est pas ajustée à cent pour cent, il vacille et peut aller jusqu'à se demander si on l'aime vraiment, avec pour raisonnement : « Je n'ai pas eu le cadeau que je demandais, donc on ne m'aime pas » et « Je suis frustré, donc rejeté ». De leur côté, les parents qui ont le sentiment de ne jamais en faire assez, de ne jamais faire tout à fait bien, alimentent ce sentiment.

Derrière le regard candide de l'enfant, une véritable caisse enregistreuse silencieuse, et inconsciente, s'active en permanence, enregistre les frustrations. Rien ne lui échappe. Plus il grandit, plus il mesure les manques inévitables. Ainsi, pendant les premières années de vie, sa mémoire dormante constitue son livre des comptes, avec l'encre quelquefois indélébile des espoirs déçus, des rêves perdus, des besoins inassouvis, y consigne les carences, les souffrances, les sentiments d'injustice. Même s'ils sont enregistrés également, les dons passent plus inaperçus. Ils constituent une épargne dans laquelle l'enfant puise sa force sans même y porter attention. Si l'enfant compte surtout ce qu'il ne reçoit pas, il a trop besoin de l'amour inconditionnel de ses parents pour se risquer à revendiquer. Mais ce registre va constituer le terreau fertile dans lequel germeront les premiers petits règlements de comptes qui surgiront à l'adolescence.

Dans les situations courantes, comment les parents peuvent-ils réagir face à la constitution du livre des comptes de leur enfant ? En cessant de vouloir être irréprochables ! Être parent, c'est au contraire pouvoir entendre certains reproches. Nul n'évitera les « C'est pas juste ! » et autres

« D'abord, t'es méchant(e) ! ». Admettre qu'on ne peut pas tout pour l'enfant, qu'on ne peut le protéger de tout, c'est lui permettre de développer sa créativité. Il grandira davantage en dépassant des manques et des frustrations[1]. Face aux calculs précoces de nos enfants, pour retrouver un peu d'assurance, le plus simple est de revenir à des principes de base, se remettre en mémoire ce qui compte vraiment pour eux. Plus une mère, un père parvient à tenir compte de ce qui est essentiel à la relation, plus chacun est à sa juste place, moins les règlements de comptes à venir risquent d'être virulents.

Est-ce que je compte pour des prunes ?

« Est-ce que je compte pour toi ou est-ce que je compte pour des prunes ? », question-clé que les enfants posent de mille et une manières à leur mère, à leur père. « Montrez-moi que je ne suis pas une quantité négligeable, une chose ballottée, que l'on pose là où cela arrange les adultes. Cela forgera mon rapport à la vie. Dites-moi que je suis important pour vous, que vous êtes fiers de moi, cela construira mon estime de moi. Aidez-moi à devenir qui je suis, et non pas votre clone ! Ne me laissez pas faire ce qu'il n'appartient pas à un enfant de faire. Soyez adulte et maintenez-moi à ma place d'enfant ! Cela renforcera ma sécurité intérieure. » Voilà ce que pourraient nous dire les enfants s'ils savaient expliquer ce qu'ils éprouvent.

D'une certaine façon, à travers leurs symptômes – difficultés scolaires, agressivité, anxiété… –, ils signifient aux adultes que ces besoins essentiels ne sont pas respectés. Il est important d'entendre ce qu'il y a à entendre dans les dysfonctionnements passagers.

Clara, sept ans, est triste, pleure souvent, est angoissée. « Depuis que papa s'est remarié, il n'y a que son amoureuse qui compte pour lui ! C'est comme si je ne faisais plus partie de sa famille, il ne passe pas assez de temps avec moi. »

Paul est agressif ; à seulement dix ans, il a déjà tendance à être violent avec sa mère. C'est un beau garçon qui a l'air vif, intelligent, sensible, mais qui ne fait pas grand-chose à l'école, ses résultats s'en ressentent. Sa mère n'en peut plus, elle ne parle de lui qu'en termes négatifs, disqualifiants. « Parfois, j'ai l'impression qu'elle préférerait de pas m'avoir eu. » Il se sent de trop. Il voit ses parents se déchirer, quelquefois à cause de lui. Il se demande pourquoi il est là. Comment peut-il s'autoriser à vivre s'il a l'impression que sa présence encombre ?

Un enfant qui a le sentiment d'être « en trop », de gêner, peut se sentir coupable d'exister, risque de considérer que sa vie a peu de valeur, que lui-même est un être négligeable, insignifiant. Comment pourra-t-il croire en lui, en ses parents, en la vie ? On peut supposer qu'il ne laissera pas passer cela et, plus tard, il en voudra à ses parents. Cette rancœur nourrira bientôt des règlements de comptes qui non seulement pourriront ses relations familiales, mais empoisonneront aussi sa propre vie.

Avoir le sentiment de compter pour zéro accentue les angoisses existentielles de l'enfant. Dès qu'il prend conscience que le monde a existé avant lui, que ses parents ont vécu sans lui pendant toutes les années précédant sa naissance, il est comme aspiré dans un gouffre. « Avant d'être né, je n'existais pas, je n'étais rien : cela signifie-t-il qu'aujourd'hui le monde, mes parents pourraient de nouveau se passer de moi ? » s'inquiète-t-il. Il a besoin d'entendre qu'il est indispensable à ses parents, qu'il fait sens dans leur vie.

Tout l'amour qu'on éprouve pour ses enfants n'empêche pas de leur envoyer des messages perçus comme contraires. C'est bien évidemment ceux-là qu'ils retiendront. Et comme l'histoire que se construit l'enfant dans sa tête est très subjective, quelles que soient les marques de tendresse, les réassurances, il peut avoir tout de même des doutes – et bien sûr ce sont ces doutes qu'il risque de retenir. Telle est la force du négatif en concurrence avec la puissance de l'amour le plus sincère !

Rassurer un enfant sur l'importance qu'il a pour ses parents ne relève pas que du registre affectif, mais du respect de sa singularité. Être reconnu, c'est avoir le droit d'être différent.

> Raphaëlle, cinq ans, dort mal : cauchemars, difficultés d'endormissement. Elle est timide, inhibée, a peu de camarades. Avant même qu'elle n'ait le temps de m'expliquer tout cela, son père se précipite pour parler : « Moi, à son âge, j'étais comme ça. Elle est comme moi. »

Un enfant se sentira exister quand il se sentira autorisé à être différent. Mais par rapport à quoi, à qui ? Là encore, les comptes vont nous être utiles, car compter, c'est différencier. 1 + 1 = 2. Un enfant et un parent, cela fait deux entités, deux corps, deux individus, séparés, inscrits chacun dans son histoire. Les ressemblances entre parents et enfants ne sauraient effacer les différences. Plus un petit garçon, une petite fille se sentira unique, plus il trouvera la vie passionnante, et moins il perdra de temps à compter ce qui ne va pas entre ses parents et lui !

Dès la naissance, un enfant affirme sa singularité. Il ne dort pas quand on le voudrait, ne mange pas comme on le souhaite. Plus il grandit, plus l'enfant réel s'impose et vient s'interposer entre l'enfant rêvé et fantasmé par chacun de ses parents, pour qui passer de l'enfant idéal, parfait, à l'enfant réel, en chair et en os, n'est pas évident. C'est souvent une épreuve de perte pour eux que d'accepter ses imperfections physiques qui blessent le narcissisme parental, de passer outre ce caractère qui lui vient d'une grand-mère avec laquelle on est en froid. Comment pardonner à l'enfant son manque de dynamisme alors qu'on vient de quitter son père pour une raison identique ? Autoriser son enfant à être différent, c'est renoncer à l'enfant parfait qu'on attendait.

Mais c'est aussi renoncer à l'enfant idéal, celui qu'on aurait voulu être. Que sa timidité rappelle la nôtre est intolérable, alors qu'on aimerait tant lui épargner nos difficultés. Nous voyons chez lui en miroir ce que nous ne supportons pas en nous, et nous nous inquiétons doublement, culpabilisant de ne pas l'avoir mieux préparé, de ne pas savoir mieux le protéger : « Est-il suffisamment fort pour affronter la vie ? » Ce qui nous apparaît comme de la fragilité chez notre enfant active et alimente en écho notre propre vulnérabilité, ce qui ne facilite pas les processus d'individuation, ni la confiance en soi. Nous pouvons même inconsciemment lui en vouloir, dans une belle confusion identitaire. Les contours de l'enfant se diluent dans ceux du parent, dans un flou qui ne lui permet pas de construire son sentiment de sécurité intérieure. Être le prolongement de son parent prive l'enfant de toute une partie de lui, lui donnant l'impression de ne pas exister pleinement, de n'être important pour ses parents que dans la mesure où ils se retrouvent en lui.

À leur insu, les adultes donnent à leur enfant la mission impossible d'avoir à réparer leurs propres blessures narcissiques, enfermant faussement l'enfant dans le sentiment de ne pas être à la hauteur. C'est généralement implicite, mais les enfants savent entendre ce qui ne se dit pas. Ils doutent alors d'eux-mêmes. Le manque de confiance en soi s'enracine souvent dans le sentiment de ne pas avoir répondu aux attentes des parents, et l'enfant devenu adulte reste longtemps en quête d'une reconnaissance quelquefois improbable.

La confusion identitaire est entretenue parce qu'on se trompe de compte. On règle à travers l'enfant ce qu'on n'a pu régler pour soi. S'il s'agit de broutilles, ponctuellement, pourquoi pas ? Mais la place de parent suppose de régler pour nous-mêmes, par nous-mêmes, ce qui nous pèse. On aurait envie de dire au papa de Raphaëlle de se préoccuper de sa propre timidité, en l'acceptant, ou en la dépassant, afin de moins se projeter en sa fille. Que notre enfant nous renvoie à nos limites, à nos fragilités, nous donne une formidable occasion pour faire quelque chose pour nous-mêmes, de s'occuper de l'enfant qui est encore en nous. Et on le sentira sans doute lors des prochaines fêtes de famille.

Cela permettra aussi de préserver la différence de générations : l'enfant n'a pas à prendre une position d'adulte pas plus que le parent ne doit s'installer dans une position infantile.

Mathieu, huit ans, en difficulté scolaire, a du mal à se concentrer. Il ne cesse de répéter qu'il est « nul ». Quand on l'interroge sur son histoire et son vécu, il explique rapidement qu'il se fait beaucoup de soucis pour sa mère, seule, divorcée qui a souffert du divorce. Il se sent démuni, « nul » de ne pas parvenir à l'apaiser. En classe, ses pensées voguent vers elle, et il s'en veut de ne pouvoir l'aider davantage, la réconforter. Elle pleure souvent, il se sent impuissant. Mathieu s'est donné une mission, là encore impossible : sauver sa mère, la protéger.

Respecter notre enfant, c'est ne pas le laisser agir à notre place. C'est aussi le préserver des règlements de comptes entre adultes. Quand un parent attend de lui qu'il soit attentif à ses besoins d'adulte et prenne soin de lui, il y a une inversion des rôles dommageable. Le parent reçoit alors plus qu'il ne donne. L'inversion du sens des dons blesse l'enfant « parentalisé », non sans répercussions potentielles sur sa future vie amoureuse. S'il n'ose sortir de la place à laquelle il est ainsi assigné, il risque de demander à ses amoureuses ce qu'il n'a pas reçu de sa mère. Ce qui pourrait aider Mathieu et sa mère, c'est que celle-ci réapprenne à donner : en donnant, on se restaure soi-même.

Pour être à la juste place, il faut déjà trouver une juste distance. Revenons aux mathématiques. Si on a envie que notre enfant ne se trouve pas « nul », il ne doit pas avoir l'impression qu'il est « tout » pour nous. Être important, compter pour l'autre, c'est ne pas prendre toute la place. S'il est « tout » pour sa mère, son père, l'enfant, en quelque sorte, est privé de lui-même. « Quand un parent au psychisme vidé par la mélancolie ne parvient à remplir son monde intime que grâce à cet enfant pour lequel il ressent un amour exclusif : "tout pour lui, parce que je ne suis personne", cette manière d'aimer et de vouloir le bonheur du petit fait le malheur de tout le monde, puisque le parent dans sa générosité hémorragique n'assume pas sa fonction de base de sécurité. Trop centré sur l'enfant, il le prive de l'étayage extérieur qui conforte le petit », analyse Boris Cyrulnik[2].

L'enfermement dans une totalité est dévastateur. L'enfant

ne saurait représenter le tout du parent, pas plus que le parent ne doit occuper tout l'espace ! Selon une tradition talmudique, il y aurait eu, à l'origine du monde, le *tsimtsoum*, c'est-à-dire la contraction de la lumière divine, véritable condition de la possibilité du monde. Dieu se retire en lui-même pour laisser place à l'autre, à la création, à la créature. Un des noms de dieu, *Chadaï*, signifie « celui qui a dit : "Ça suffit" » ; Dieu s'est dit à lui-même : « Ça suffit. » Ce retrait met en place un espace *entre* la créature et le créateur. Le *tsimtsoum* est un créateur de distance, c'est l'impossibilité de la totalité. En se retirant, en laissant du vide, Dieu crée un espace pour le monde à venir, pour l'histoire. Il y a donc du vide à instituer entre son enfant et soi. Dans cet espace inoccupé, inhabité, s'enracinent la créativité, la liberté, la joie de vivre.

Pour qu'un enfant prenne en compte son importance, les adultes ne doivent pas perdre de vue qu'il est un être en devenir. Le respecter, c'est éviter de l'enfermer dans des représentations réductrices. Cela revient à se préparer à se laisser surprendre par lui.

> Marion a cinq ans, je la reçois avec sa maman pour la première fois. Pendant de longues minutes, j'entends une litanie de plaintes maternelles. Rien ne va avec cette fillette, ni à l'école, ni à la maison avec ses parents, ni avec son petit frère. Pendant que la maman parle, je demande à Marion si elle veut bien dessiner. Elle commence à se concentrer et s'applique pour colorier le beau paysage qu'elle vient de crayonner. Quand je fais remarquer à sa maman le calme de sa fille, elle n'en revient pas. Je demande à Marion de me raconter l'histoire de son dessin et, de manière très coopérante, elle se lance dans un récit structuré et imaginaire. « Je ne l'ai jamais

entendue faire des phrases entières à la maison. Je découvre une autre enfant, je m'aperçois que je suis passée complètement à côté de ce qu'elle était. On a été pris dans un mauvais engrenage », déclare la maman, stupéfaite.

Modifier nos représentations entraîne déjà des changements. Il est important d'entamer nos images, de dé-savoir, pour laisser surgir du nouveau, sortir de ces fameuses étiquettes qui collent à la peau si longtemps quelquefois. Cela remet en mouvement le développement de l'enfant. Le fait de parvenir à voir le positif d'un enfant, ses ressources, peut le faire venir à être. Il peut être intéressant d'essayer de se « connecter » à ce qui est bon en lui ; cela consiste à être dans l'attente de quelque chose qui va se passer, sans savoir quoi, tout en acceptant que peut-être rien ne se passera pendant quelque temps. Se mettre par anticipation à l'écoute de cette force positive sans doute encore inconnue de lui, qu'il porte cependant au plus profond de son être, et qui le traverse sans même qu'il en soit conscient. Accueillir tranquillement la créativité intérieure insaisissable qui ne demande qu'à émerger. Lui permettre d'avoir confiance en lui, c'est croire en sa possibilité de changer et d'évoluer, ne pas figer sa mobilité par un regard trop sclérosant et réducteur.

Quelle illusion dangereuse que de prétendre connaître son enfant ! L'inconnu, l'énigme en lui, ce lieu qui échappe aux parents, n'est rien de moins que sa créativité. Le redécouvrir tous les jours comme pour la première fois lui laisse la possibilité de nous surprendre et de s'étonner lui-même. Il y a toujours à défaire l'image qui s'impose, dans un effacement qui évite ainsi tout risque d'enfermement de l'être. Ne pas céder à la tentation de l'emprisonner dans un regard qui peut le figer, c'est peut-être cela, aimer son enfant. Dans le consentement à cette part inconnaissable peut naître un véritable respect. C'est parfois dans le silence, le repos, le jeu plutôt que sous la pression que l'enfant parvient à découvrir, à expérimenter une autre façon d'être. Cela nous demande de baisser les armes de nos exigences. Le repos que l'on s'accorde et qu'on lui accorde est alors véritablement réparateur. Dans cette pause, on peut être à l'écoute de cette force émergente en lui. Elle adviendra d'autant mieux qu'il n'aura plus besoin de la mobiliser pour se défendre de la menace psychique que l'insatisfaction de ses parents fait peser sur lui. Qu'ils se laissent surprendre par lui peut l'aider énormément. « Le moment thérapeutique, c'est le moment où l'enfant arrive à se surprendre lui-même[3] », a écrit D.W. Winnicott.

Nous sommes ici en plein cœur du processus de reconnaissance. Re-connaître, c'est connaître autrement. C'est de cette re-connaissance toujours en mouvement que les enfants ont le plus besoin, car « la reconnaissance se fait à l'épreuve de la méconnaissance[4] ».

Le lien parents-enfant, comme une corde de chanvre, est tissé d'affectif, d'identitaire, de symbolique, d'éthique, de culturel, de juridique, de biologique. Le lien d'argent a lui aussi une place importante. Cette corde se recompose sans cesse et, même si certains fils se distendent, le lien n'est pas totalement rompu.

Nos très « chers » enfants

> « Papa, il ne verse pas la pension à maman, c'est difficile pour elle. Il dit qu'il n'a pas de sous, mais il va au restaurant souvent avec son amoureuse » (Antoine, six ans).

« La boutique de ma mère ne marche pas, elle va devoir la fermer. Ça me fait de la peine et du souci, je sais que, pour elle, c'est important, le travail » (Lætitia, dix ans).

Julien, douze ans, est taciturne depuis quelques semaines, il se replie un peu sur lui-même, lui qui était plutôt jovial et entouré de copains. Après quelques « Hum, hum, bof » renfrognés en guise de réponse à mes questions, il finit par s'ouvrir. « Je sais que c'est ridicule, mais j'ai très peur. Papa vient d'être au chômage, on va devoir changer d'appartement. Les projets de vacances tombent à l'eau, maman me dit qu'il va falloir changer de mode de vie. Bon, c'est pas marrant, mais ce n'est pas encore ça qui m'inquiète. Qu'est-ce qui va se passer si on n'a plus assez de sous ? On va se retrouver dans la rue ? »

Les enfants sont confrontés de plus en plus jeunes aux inquiétudes financières des parents, même dans des milieux sociaux qui jusqu'à présent semblaient épargnés. Les adultes en discutent souvent devant, voire avec, les enfants, qui posent des questions sur leurs choix, donnent leur avis et abordent fréquemment ces problèmes avec une véritable maturité : ils perçoivent bien que les questions financières ont des incidences sur les relations, sur l'identité et peuvent fragiliser les adultes. Mais s'ils sont inquiets, ils n'en demeurent pas moins relativement à l'aise pour parler des questions d'argent. Pourquoi les parents le sont-ils moins ?

« Mes enfants sont la prunelle de mes yeux. »

« Ma fille est ce qui compte le plus au monde. »

« Sans mon fils, ma vie n'a pas de sens. Il est ce que j'ai de plus cher au monde. »

Les enfants sont affectivement investis, surinvestis peut-être, et aujourd'hui, dans nos sociétés occidentales, les termes utilisés pour parler de nos enfants dans le registre affectif sont équivoques : *cher*, *bien précieux*. *Cher* vient du latin *carus* qui veut dire à la fois *coûteux* et *aimé*. De cette racine ont dérivé et le verbe *chérir*, et le mot *enchère*. Dès l'origine de ce mot, une double valence existe[5]. Y aurait-il un risque d'enchère quand on chérit un enfant ?

De la même manière, *bien* (de *bene*, en latin) renvoie à une dimension morale (le bien s'oppose au mal), mais aussi à un niveau matériel : les biens d'une personne entendus comme ses propriétés. *Précieux* vient de *pretiosus*, *qui a du prix, coûteux* mais qui en vieux français avait le sens religieux de *vénérable* (« précieux sang » du Christ). Ces doubles voire triples niveaux, matériel, spirituel, affectif, ont traversé les siècles. L'amour n'est-il pas fait de tous ces niveaux ? Qui n'a pas offert un super-cadeau pour compenser une absence prolongée ou prouver son affection ? On le fait, oui, mais en culpabilisant, comme si nous étions gênés par cette imbrication. Est-ce parce que nous sommes héritiers d'un passé où l'enfant était considéré comme un bien précieux parce que productif ?

La place de l'enfant dans les sociétés occidentales contemporaines a beaucoup changé en peu de décennies. Quand, en 1881-1882, Jules Ferry rend l'école primaire, gratuite et obligatoire jusqu'à treize ans, il se heurte aux familles pour lesquelles le travail des enfants est nécessaire pour vivre. La scolarisation a constitué une perte et un manque à gagner important pour certaines classes sociales. Au milieu du XIXe siècle, nombre d'enfants travaillaient pour un salaire égal au quart de celui d'un homme. Il a fallu attendre 1841 pour interdire de faire travailler en usine des enfants de moins de huit ans, interdire le travail de nuit avant treize ans, réglementer le temps de travail d'un enfant (pas plus de huit heures par jour pour les enfants de huit à douze ans, pas plus de douze heures entre douze et seize ans), 1936 pour que l'école soit obligatoire jusqu'à quatorze ans et 1959 pour qu'elle le soit jusqu'à seize ans – à peine cinquante ans !

La représentation actuelle du caractère inestimable d'un être humain, le fait qu'un enfant n'ait pas de prix, est une conquête sur une réalité bien sombre, pas si lointaine[6]. Charles Dickens, avec *Oliver Twist*, *David Copperfield*, décrivait une société pour laquelle l'enfant était un « bien productif » dans certaines catégories sociales et avait bel et bien un « prix » marchand.

Alors, est-ce pour mettre à distance ce passé – encore proche – et très mal élaboré que l'on ne supporte pas l'idée d'une dimension matérielle dans notre lien familial ? Ou pour ne pas laisser la mauvaise conscience nous envahir parce qu'on sait bien que ces pratiques[7] n'ont pas disparu ?

Dans nos sociétés occidentales, l'enfant n'a pas de prix et en même temps on peut payer de sa personne pour avoir un enfant. L'infertilité touche de plus en plus de couples, avec un véritable parcours du combattant. Si le bébé arrive l'horizon s'éclaire. Et quand les médias titrent après certaines prouesses « Un enfant à tout prix », « Un enfant à n'importe quel prix », c'est entretenir une confusion insultante pour les femmes, les hommes qui se battent corps et âme afin de pouvoir donner la vie ou adopter. Laisser supposer que leur désir est « égoïste » sous prétexte qu'il « force » la nature, c'est véhiculer une idéologie réactionnaire dangereuse et culpabilisante. Au regard de la persévérance, du courage de ces candidats à la parentalité, on peut dire qu'ils *paient* de leur personne un lourd tribut et qu'ils méritent le respect.

« C'est vrai que tu as payé pour m'avoir ? » demande Léontine, six ans, à sa mère adoptive, qui en est restée médusée ! Les enfants sont experts dans l'art de poser les questions embarrassantes. Certes, l'adoption a un coût, la procréation médialement assistée aussi, mais cela n'a rien à voir avec le *prix* d'un enfant, et aucune équivalence monétaire aujourd'hui ne doit être acceptée entre un être humain et l'argent.

Sans doute est-il nécessaire de mieux distinguer prix et coût.

> « J'ai vu sur un site Internet que je coûtais X euros, parce que j'ai les yeux bleus…
>
> – Comment ?
>
> – Ben oui, il y a un site, pour les ados, où on nous dit quel prix on a ! »

Le prix se réfère à une convention – la monnaie – qui permet l'échange des marchandises. Le coût est une donnée qui tente d'évaluer les dépenses nécessaires, à l'entretien, à l'éducation d'un enfant. Le prix laisserait croire que l'on peut chiffrer la valeur d'un être humain. Le coût mesure ce qu'il faut pour entretenir, élever un enfant. Si aujourd'hui un enfant n'a pas de prix, il n'en reste pas moins vrai qu'il a un coût.

Cent mille euros, c'est le coût moyen d'un enfant de sa naissance à sa majorité, soit 5 300 euros par année de sa naissance à ses quatre ans, 4 600 euros de quatre à onze ans, 6 200 euros de douze à dix-huit ans[8].

Choquants, ces calculs ? Non, utiles ! Car c'est à partir de telles évaluations que la politique familiale française a pu être mise en place et favoriser l'émancipation des enfants, l'accès à la culture, au savoir du plus grand nombre. La démocratisation passe par la reconnaissance – sans état d'âme – du coût de l'enfant. Les valeurs républicaines ont besoin de ces calculs pour réduire les inégalités. La naissance d'un enfant n'a jamais autant que maintenant, en France, fait l'objet d'aides financières : prestations sociales, mesures fiscales, prise en charge médicale de la grossesse, de la petite enfance, structures scolaires... avec une visée nataliste qui dit plus ou moins son nom, mais aussi le souci de diminuer les inégalités sociales de manière à compenser les dépenses entraînées par l'arrivée d'un enfant.

Avec d'autres dispositifs de lutte contre la pauvreté, cette politique place la famille dans une catégorie parmi d'autres et lui confère un rôle d'agent social. L'enfant est d'emblée posé comme citoyen, sa naissance est encadrée par des mesures économiques, sa place pensée par tout le système social, le rôle, les devoirs parentaux encadrés eux aussi par des lois, des mesures. En cas de défaillance parentale, un ensemble de soutien, d'accompagnement, est prévu. La famille a une fonction dans l'équilibre d'un pays. Dans cette sphère que nous considérons comme privée, certains des comportements que l'on imagine aller de soi sont imprégnés d'une dimension sociale. L'intimité est traversée par du culturel. C'est bien ce qui rend encore plus suspect le clivage amour-compte.

« C'est comme si j'avais deux bébés à la maison », se plaint cette jeune maman.

« Depuis qu'elle a accouché, c'est comme si je n'existais plus », explique ce papa tout neuf.

L'arrivée d'un enfant, événement heureux par excellence, constitue néanmoins un séisme dans une famille : glissement générationnel, changement d'identité dans le couple, réorganisation de la place de chacun, aménagement de la fratrie, réactivation de sa propre enfance. Ce moment magique peut fragiliser bien des nouveaux parents.

L'arrivée d'un enfant a indéniablement un coût pour le couple, qu'il soit hétérosexuel ou homosexuel. Elle appelle la redéfinition des places et des attentes mutuelles, à devenir parents tout en restant couple. Il y aura forcément un choc des représentations. Chacun se rêvera et rêvera l'autre selon une représentation très fantasmée des rôles de père et mère et chacun devra finir par accepter l'autre dans sa réalité. On fait l'inventaire des valeurs de la lignée maternelle et de celles de la lignée paternelle, évaluant le modèle de l'autre. On trie ou on rejette : « Je ne veux pas que notre fils soit élevé comme tes parents t'ont élevé », « Je veux lui transmettre la valeur du travail, de l'effort, pas comme chez toi ». Autant de gentillesses qu'un couple sans enfants n'avait pas encore eu l'occasion de se dire. Les grands-parents aussi comptent : « Quand est-ce qu'on l'aura ? », « Est-ce qu'il ira plus souvent chez les autres grands-parents ? », « Les cadeaux que je fais à mon petit-fils ont l'air ridicules à côté de ceux de l'autre grand-mère qui a plus de revenus que moi ».

Élever un enfant a un coût psychique permanent, pour la vie ! Car être parent d'un bébé ou d'un adolescent, par exemple, ce n'est pas tout à fait la même chose. Notre rôle se transforme, mobilisant en nous des compétences différentes. Il suffit de continuer à grandir avec ses enfants. L'éducation est ainsi une coéducation. Élever nos enfants est la plus belle aventure qui soit, même si c'est aussi la plus difficile, car elle constitue pour les parents une merveilleuse chance pour se réinventer sans cesse, se découvrir, rester en marche.

En commençant par changer de position par rapport à sa famille d'origine. Devenir davantage le père, la mère de ses enfants et moins l'enfant de ses parents passe par le fait de ne plus attendre la reconnaissance de leur part. L'enfant a besoin d'être reconnu, et ses parents le feront d'autant mieux qu'eux-mêmes seront sortis de leur position infantile. Il s'agit d'accepter d'être ce que nous sommes, des fils et des filles imparfaits qui n'ont pu répondre aux attentes des générations passées, qui les ont trahies ou qui vont – enfin – le faire. C'est en acceptant ce que nous sommes que finalement nous aiderons le mieux nos enfants à s'accepter et à avoir confiance en eux.

Grandir, c'est se légitimer comme père, comme mère, et cette légitimité fait terriblement défaut à nos contemporains.

Mélanie, trente ans, est la maman d'Arthur, quatre ans. Elle l'élève seule, il est agressif avec elle et refuse son autorité. Longtemps elle a répété : « Ma mère est parfaite, je suis incapable de m'occuper de mon fils. Je n'arrive pas à m'en sortir, je n'en ai qu'un alors qu'elle a élevé cinq enfants. » L'ombre de sa mère l'a longtemps empêchée de se légitimer elle-même comme mère.

Au fur et à mesure de son travail d'élaboration, Mélanie a changé de regard. Elle a compris tous les renoncements qu'avait vécus cette femme. Elle avait renoncé à une carrière professionnelle prometteuse pour suivre son mari, officier. Elle avait eu cinq enfants, parce qu'elle ne parvenait pas à rompre avec le modèle qui s'imposait aux femmes de sa famille. Et tous ces renoncements, bien sûr d'une certaine manière, elle les fit porter à ses enfants.

Petit à petit, Mélanie se rend compte à quel point elle a osé prendre une liberté par rapport à sa famille. Elle mesure la force qu'elle a dû mobiliser. Elle refait le conte de son enfance. Elle évalue les différences entre les mères de sa famille et elle, et cela la rassure sur son propre compte ! Elle ne se regarde plus à travers le prisme du regard de sa mère, qui la condamnait plus ou moins explicitement à élever seule son enfant. Elle ne reprend plus à son compte la réprobation maternelle, car désormais elle se reconnaît elle-même totalement dans ses propres choix. Elle a fini par se légitimer comme mère, et a pris auprès de son fils une position plus ferme. Il la reconnaît désormais comme telle, car elle est moins la « fille de sa mère » et davantage la « mère de son fils ». Elle est au clair avec ses loyautés. Désormais elle est capable de dire : « Je suis la mère que j'ai envie d'être, je ne vais pas m'en sortir plus mal qu'une autre ! »

Mélanie illustre parfaitement le parcours de la reconnaissance de Paul Ricœur dont on a parlé plus haut. Selon lui, on parvient à la reconnaissance de soi, de ses aptitudes, de son potentiel quand on est capable de déclarer, de s'entendre affirmer non pas seulement : « Je crois que je peux », mais plus encore : « Je peux dire que je peux. » Je m'identifie moi-même comme pouvant être capable de. Il ne suffit pas de faire, mais il faut pouvoir se raconter à soi-même qui on est. Cette narration structure, ordonne, renforce l'identité. C'est ce que Ricœur appelle l'« identité narrative ». Le « pouvoir se dire » nous libère de ce qu'il reste encore d'infantile, de dépendant, de passif en nous par rapport à certaines vaines attentes de reconnaissance. Cela ouvre la voie à la reconnaissance de notre responsabilité propre.

3

Je ne veux rien devoir à personne !

Le réveil de la mémoire dormante

« J'veux rester plus longtemps chez mon copain ! »

« Pendant les vacances, toutes mes copines sortent tous les soirs, j'veux faire comme elles ! »

« Pourquoi je dois travailler une heure par jour ? Personne ne fait ça. »

« Si tu me supprimes ma PSP, je ne parle plus à personne dans cette famille. »

« Papa, il m'a acheté un forfait de trois heures, mais c'est pas suffisant, tu ne voudrais pas m'acheter une heure de plus ? Je te promets de ranger ma chambre demain… »

À l'adolescence, tout se négocie, se marchande, les chantages en tout genre se multiplient. Même les plus nuls en maths calculent. D'une manière plus ou moins brutale, la mémoire dormante des enfants s'éveille. Les adolescents font les comptes, en passant au peigne fin les comportements, les erreurs, les fragilités de leurs parents, avec un tel manque d'indulgence que le choc peut être rude : « Tu ne m'as jamais aimé ! », « Tu ne m'as jamais comprise », « Quand j'étais petit, tu m'angoissais tout le temps avec l'école, l'école... » À partir des souvenirs de leurs frustrations, ils réécrivent leur histoire, n'hésitant pas à noircir le tableau. Tout ce que les enfants ont emmagasiné de souffrances, de douleurs, réelles ou fantasmées, tout ce qu'ils ont vécu comme des injustices revient à la surface. Et la rancune, la rancœur se transforment en reproches.

> « C'était insupportable quand tu me forçais à finir mon assiette ou à manger ce que je détestais. »
>
> « Comment ma mère a pu me laisser hurler comme ça quand j'avais peur la nuit ? À la campagne, je dormais dans le grenier, il y avait des bruits bizarres, j'étais terrorisé, elle s'en fichait, se moquait de moi, et finissait même par m'engueuler ! »

Que la crise d'adolescence soit plus ou moins précoce, plus ou moins longue et spectaculaire, qu'ils aient ou non été des enfants faciles, que l'on ait pu être ou non des parents suffisamment bons, les règlements de comptes sont un facteur constitutif de l'adolescence. S'ils ont le sentiment d'avoir été reconnus et respectés dans leurs besoins d'enfants, nous pouvons juste espérer un peu moins de virulence de la part des ados qui, d'une intransigeance exacerbée, risquent de retourner contre les parents ce que ceux-ci ont cru bien faire. Au sortir de l'enfance, oscillant entre regret et soulagement, et en toute mauvaise foi, ils les critiquent aussi bien d'en avoir fait trop que pas assez. Ils réécrivent le conte de leur enfance comme un paradis perdu, mais aussi comme un temps de servitude, de soumission, pendant lequel ils ont dû obéir à une autorité injuste, voire incompétente, qu'ils ont du mal à légitimer.

S'ils reconnaissent les bons moments de l'âge tendre, ils ne retiennent contre les parents que les pires. Ce qu'ils ont vécu de bien, de toutes les façons ce n'est pas grâce à leur mère ou à leur père. Cette distorsion leur permet de changer de position par rapport aux adultes. Le comprendre n'empêche pas cette crise – nécessaire –, mais permet aux parents de la vivre un peu mieux.

Sans perdre de vue l'angle des échanges intrafamiliaux, regardons de plus près ce qui se joue alors pour l'adolescent. Déjà, avec les portes qui claquent et la musique, nos ados se font entendre et le fond sonore familial change sous le signe de l'orage avec des averses de reproches, de revendications. Les insultes ne sont pas loin.

L'adolescence se révèle un champ d'observation très spécifique des règlements de comptes. Alors que, selon les contextes et les âges de la vie, l'un ou l'autre des registres des règlements de comptes est privilégié, ici c'est un cocktail plutôt détonant, d'où le côté cacophonique. Petits règlements de comptes qui, tout en restant sur le registre du reproche, du désaveu, n'en sont pas moins déstabilisants. Mais aussi grands règlements de comptes, de l'ordre de la revanche, de la vengeance qui, de manière plutôt consciente et volontaire, se manifeste sous une forme qu'on pourrait résumer ainsi : « Vous m'en avez suffisamment fait baver, vous allez voir comment je vais vous le faire payer ! », « Mes parents ne se sont jamais préoccupés de moi, je ne vois pas pourquoi je leur obéirais ». Les comparaisons avec les parents des copains, des copines aggravent encore la noirceur du tableau. La honte de sa propre famille n'est pas loin. « J'ai la honte quand ma mère parle avec sa voix aiguë », « Mes copines, je ne veux pas qu'elles voient mon père, il fait trop vieux, avec son gros ventre : on dirait un grand-père », « Ma mère, elle veut se la jouer copine-copine, elle n'a pas vu ses rides ! » Mais les grands règlements de comptes se manifestent aussi sur un mode plus inconscient ; ainsi certains comportements, certains symptômes développés peuvent avoir des allures de représailles. En outre, quand ils ne comptent pas les loupés parentaux, les manques de leur enfance, les ados somment les adultes de justifier leurs choix : « Pourquoi tu as quitté papa ? » aussi bien que : « Mais pourquoi tu restes encore avec cet imbécile ? » Pêle-mêle, l'adolescence déploie toute la panoplie et la diversité des règlements de comptes.

Ne plus avoir de comptes à rendre aux parents, c'est le grand rêve adolescent. Comme dans un rite de passage, on va tenter de régler ses comptes pour pouvoir accéder à une autre étape de la vie. Pendant l'enfance, les comptes s'accumulent mais les enfants ne peuvent rien en faire vraiment, étant trop dépendants de l'amour inconditionnel de leur mère et de leur père : on a d'abord besoin de recevoir pour pouvoir ensuite refuser ce que donne la famille. À l'adolescence, la dynamique est bien celle d'une contestation, d'une révolte. Il est nécessaire d'attaquer les parents, les adultes, de les déstabiliser, tenter de les fragiliser pour pouvoir mettre une distance entre eux et soi ; on essaie ainsi de se persuader qu'on peut se passer d'eux.

« Vous avez semé un enfant, vous récoltez une bombe », disait Winnicott aux parents d'adolescents, et il poursuivait : « Pour grandir, il faut passer par le corps mort d'un adulte. » Voici donc le programme annoncé ! Tout se passe comme si une certaine cruauté envers les parents était indispensable pour s'autonomiser. La tâche des adolescents est gigantesque. Les parents – bons ou mauvais – occupaient jusqu'à présent une place de choix dans leur cœur, ils doivent désormais se détacher de ceux dont ils recevaient tellement, changer d'orbite affective. Pour se défaire de cet amour, ils ont besoin de les agresser, de briser l'image parentale pour se prouver à eux-mêmes que cette mère, ce père ne valent décidément pas la peine d'être appréciés, écoutés. En rendant les parents plus mauvais qu'ils ne sont, les adolescents espèrent se détacher plus facilement. Ils sont dans une logique de destructivité, de déconstruction ; il leur faut déboulonner leurs idoles d'hier, aussi difficile que cela puisse être pour leurs parents, dont ils cherchent à se prouver que ce ne sont plus eux qui comptent pour eux mais les « potes », les sorties, la liberté. Et plus ils ont adoré leurs parents, plus ils risquent de les agresser pour se persuader qu'ils peuvent se passer d'eux. Winnicott est clair : « Avant tout, on a besoin de parents qui survivent ! » Survivre, résister, voici, du côté des parents, le programme à tenir. Bien sûr, on vacille sous l'effet de la révolte, on est touché, cela est inévitable, mais il importe de tenir bon, de tenir debout, en continuant à vivre, à sortir, à croire en nos propres convictions.

Moi, j'ai rien demandé à personne !

Pour des ados, vouloir régler les comptes avec le passé signifie chercher à sortir du cycle des dons et des dettes qui a structuré leur enfance, refuser de se considérer comme redevables pour la simple raison qu'on n'a rien demandé à personne.

Jérôme, seize ans, est en échec scolaire depuis deux ans, parce que ses résultats en maths et en physique sont en chute libre. Bien sûr il passe plus de temps sur l'ordinateur à chater qu'à réviser ses théorèmes, bien sûr ses amours lui tournent un peu la tête, mais n'est-ce pas aussi pour lui un moyen de désavouer son père, professeur de maths-physique ? Une manière de lutter contre lui, et de refuser ce que son père peut lui transmettre, lui apporter ?

Laetitia, quatorze ans, présente des troubles du comportement alimentaire. Elle est plutôt repliée sur elle-même, et se montre très agressive à l'égard de sa mère, notamment. Son début de grève de la faim, est-ce une manière de repousser tout ce qui vient de sa mère, une manière de dire qu'elle ne veut plus rien recevoir de cette figure avec laquelle elle fut, pourtant, si fusionnée ?

Ces règlements de comptes s'imposent comme facteur d'émancipation, ils n'en sont pas pour autant faciles à vivre pour les ados eux-mêmes qui en ressentent une forte culpabilité. Développer des symptômes constitue une tentative complexe qui permet à la fois de remiser les parents, de les mettre en difficulté, en échec, et à la fois de se punir soi-même, une façon de solder les comptes, en payant au prix fort quelquefois le mal qu'on leur fait.

Ce qui surprend et déstabilise finalement le plus avec les adolescents, c'est toute leur ambivalence. Côté dons, ils ne veulent plus rien recevoir de nous, mais nous en demandent toujours plus. Côté dettes, ils refusent d'être redevables de quoi que ce soit : « Pourquoi tu m'as fait naître ? J'ai rien demandé à personne ! », mais en même temps, tout leur est dû. Ce qu'on fait pour eux n'est jamais bien, mais si on en fait moins, ils sont perdus. Tout se passe comme s'ils ne voulaient plus se nourrir de ce que les parents leur donnaient, mais ils ignorent encore à quelle source trouver de quoi satisfaire leurs exigences.

> « Je fume des joints dans ma chambre depuis des mois, je laisse traîner plein de trucs, je ne comprends pas qu'ils ne voient rien. »

Ils refusent nos règles, mais attendent tout de même qu'on les rappelle à l'ordre. Ils ont envie d'être compris, mais si on les comprend trop, ils ont le sentiment d'une intrusion. Ils veulent se passer de notre amour, mais si on ne les regarde plus, ils s'effondrent. Ils déclarent qu'ils n'ont pas besoin de nous, alors qu'il faudrait être disponible à n'importe quelle heure du jour et de la nuit. Les copains deviennent leur univers, mais ils ont du mal à quitter le nid. Ils remettent en cause bien des valeurs qu'on avait tenté de leur transmettre, ils rejettent les habitudes familiales, mais prenant conscience des contraintes qui pèsent sur un individu, ils se demandent s'ils auront les moyens de leurs désirs.

Enfants, ils rêvaient d'un destin fabuleux. Aujourd'hui qu'ils sont enfin grands, la banalité de leur existence les effondre. Ils font les comptes de ce qu'ils pourront réaliser un jour dans leur vie et de ce qu'ils ne pourront pas réaliser.

> « Avec le passé que je porte, avec mes origines, qu'est-ce qui va s'ouvrir et se fermer devant moi ? »

L'adolescence est pur refus de la vie comme destin, mais comment transformer ses déterminants en histoire ? Derrière ces règlements de comptes avec le passé, et les figures parentales, pointe en fait une profonde angoisse devant l'avenir.

Les revendications contraires de l'adolescence pourraient se résumer ainsi : « J'ai peur de toute cette vie qu'il va falloir vivre, je vous en veux beaucoup puisque c'est vous qui avez décidé pour moi de me faire naître, vous êtes les responsables de mon malaise, de mes angoisses, des galères que je vais avoir à affronter, le collège, le chômage, la vie, quoi ! » Penser que « c'est la faute aux autres » permet de se décharger un peu d'une responsabilité de plus en plus lourde, inquiétante même si elle est réclamée à cor et à cri. Cela permet de reculer le moment où il faudra bien s'engager dans la vie. Car l'enjeu est bien là : ils vont devoir, bientôt, commencer à faire pour eux-mêmes le compte de ce qui va compter ou non dans leur vie. Quand ils seront adultes, il leur faudra être comptables de leurs gestes, responsables de leurs propres actes. Pour le moment, ils s'offrent leurs parents comme dérivatifs. Il est plus aisé de se révolter contre eux que de prendre ses responsabilités. Il faut dire que les adolescents du XXIe siècle sont aidés en cela par le contexte socioculturel et politique qui valorise tant le statut de victimes, l'idée que « c'est la faute des autres ».

S'ils comptent autant et le font savoir aussi fortement, c'est sans doute aussi parce qu'ils se trouvent face à de radicales épreuves de perte. Sur le plan affectif dont nous venons de parler, ils doivent se défaire d'un amour, d'un regard dont ils ne supportent pas qu'ils s'absentent. Ce faisant, ils perdent aussi leur étayage existentiel. L'adolescence, c'est l'âge où ils doivent signer pour eux-mêmes le contrat avec la vie : « J'en veux ou j'en veux pas, de la vie, j'y vais ou j'y vais pas, dans la vie. » Exister ou ne pas exister, être vivant ou n'être que l'ombre de soi-même, voilà, à vif, une des grandes questions des adolescents. Ils vont tanguer quelque temps sur cette corde raide existentielle, avec l'hésitation comme compagne. Passionnés un jour, déprimés le lendemain. Les conduites à risque, l'émergence de symptômes, la tentation suicidaire, l'instabilité d'humeur en sont la manifestation. Mais vivre, c'est quoi au juste ? Nul ne peut répondre à leur place. Leur décision constitue peut-être leur premier acte d'adultes. Vivre comme les parents, est-ce cela, la vie ? Assoiffés d'idéal, de justice, d'héroïsme, les adolescents trouvent les adultes tellement tristes, ringards, matérialistes, résignés, « lourds » ! Ils sont devant la tâche fascinante mais terrifiante d'avoir à façonner le cadre de leur future existence.

Ce qui est surtout perdu à cet âge, c'est l'évidence d'être soi. Notre jeune adolescent ne sait plus qui il est, il ne se reconnaît plus lui-même. Il y a une profonde et terrifiante perte de soi-même. Sous l'effet de la puberté, il (fille ou garçon) assiste, comme médusé, sidéré, à l'éclosion d'un corps nouveau, étrange, qu'il ne reconnaît pas. Dans cette part la plus intime d'eux-mêmes, il se passe quelque chose qu'ils ne maîtrisent pas, qui les dépasse, qu'ils ne parviennent pas à identifier.

Une déferlante d'expériences nouvelles et étranges les traverse. Premières règles, premières éjaculations, premiers désirs troublants, premiers poils, prémices d'une sexualité adulte alors qu'ils restent dépendants affectivement, financièrement, symboliquement, premiers baisers, premier soutien-gorge, première sortie entre copains, entre copines… l'adolescence déborde de « premières fois ».

L'enfance s'efface, et l'inconnu suscite le vertige. Ballottés entre la nostalgie du passé et la peur de l'avenir, les adolescents à l'approche de l'âge adulte ont à faire un véritable travail de deuil de leur enfance, qui ne peut s'effectuer sans souffrance. D'où un véritable trouble du sentiment de l'unité interne, du continuum d'existence. L'irruption de la puberté introduit une ligne de brisure interne. Qui suis-je aujourd'hui, moi qui étais autrement avant ? Je ne suis plus ce que j'étais, et je ne sais pas encore ce que je serai. Entre le « déjà plus » de l'enfance et le « pas encore » de l'adulte, l'adolescent se perd, se cherche, croit se trouver, se perd à nouveau. Il se découvre comme étranger à lui-même. Comment intégrer cette partie de soi qui n'existe plus mais qui cependant l'habite encore ? Quelle place faire à cette enfance, qui n'existe plus mais qui continue à persister en lui ?

Pour rendre cohérente leur image d'eux-mêmes, développer la conscience d'une continuité, ils ont besoin de notre reconnaissance. « Reconnaître, écrit Ricœur, c'est d'abord discerner une identité qui se maintient à travers ses changements[1]. » La reconnaissance des ados appelle un processus différent et complémentaire de la reconnaissance des enfants. À présent, il s'agit de percevoir ce qui persiste au-delà de leurs métamorphoses. Ce sont les deux aspects définis par P. Ricœur, qu'il nomme « ipséité » et « mêmeté »[2]. Continuer à les aimer même quand ils se rendent haïssables ; attester qu'ils sont bien nos fils et nos filles chéris derrière les mines patibulaires ou furibondes qu'ils nous offrent : on maintient le lien avec ce qui demeure identique en eux et, par là, on leur restitue la permanence de leur être. Notre présence leur sert alors de point fixe garantissant qu'ils sont bien eux, même s'ils changent.

Il suffit quelquefois d'un regard, d'un geste, d'un rire partagé « comme avant », dans lequel, sans l'ombre d'un doute, ils sont nos enfants. Instant magique où l'amour, la tendresse nous submergent. Malgré tout ce qu'ils nous font vivre, on les prendrait presque dans nos bras comme des bébés, si nous ne craignions d'être remis à notre place…

Quant aux parents, ils perdent le tendre enfant qui les regardait avec des yeux indulgents, flatteurs. Qu'il était doux ce temps où ils pouvaient le câliner. L'ado devient aussi un étranger pour son père et sa mère, il les désarçonne. Il leur faut accepter l'idée qu'il va se construire de plus en plus en dehors d'eux, qu'une distance va s'installer, qu'ils devront apprendre à respecter son espace, son intimité, son désordre. En un mot, il leur échappe. L'illusion qu'il leur appartenait s'est dissipée.

Ce qui compte, ce sont les copains, les copines

Pendant l'enfance, filiation et appartenance se recoupent. L'enfant se construit dans sa double appartenance, inscrit dans sa filiation maternelle et paternelle. Pour l'ado, l'appartenance extrafamiliale, le groupe de pairs, revêt une importance considérable. Il découvre des affiliations nouvelles, avec des liens et des solidarités autour de valeurs communes, de buts partagés. Le fait d'appartenir à un ou plusieurs groupes est essentiel. Cela donne un sentiment de puissance et donc de sécurité, qui vient compenser la fragilité identitaire du jeune. Il y trouve une forme de reconnaissance par la fusion. Les bandes se formant souvent autour de critères ethniques, sociaux, religieux, sexe, lieux d'habitation… identiques qui permettent au « je » de se fondre dans le « nous ». L'identité du groupe permet de faire l'économie d'une quête identitaire personnelle bien exigeante, offre une pause, un lieu de repos.

À l'intérieur du groupe, les différences sont laminées, si ce n'est interdites, l'expression de trop grande singularité plutôt mal perçue. Il n'y a plus rien à justifier de son identité, ni de son origine. On y retrouve une évidence existentielle. Offrant un cocon identitaire, le groupe apporte des assurances que le jeune pense ne pas pouvoir trouver ailleurs. L'appartenance à un groupe vient se substituer à des frontières psychiques individuelles : il y a ceux qui font partie du groupe et tous les autres. En contrepartie, il faut suivre scrupuleusement ses règles, ses codes, même si elles s'opposent à celles de l'extérieur. La loi interne du groupe ne peut être discutée sans risque d'être exclu.

« Tous mes potes ont 20 euros d'argent de poche par semaine, je suis ridicule avec mes 5 euros. »

« Mes copines vont toutes déjeuner dehors à midi, il faut que tu me donnes l'argent pour aller avec elles. »

« C'est pas possible que j'aille à cette soirée avec ce T-shirt affreux ! On m'a déjà vu avec... »

Dans ce tourbillon, la question de l'argent devient symptomatique. Au moment où il voudrait ne plus rien devoir à personne, l'adolescent est ligoté par l'argent. Les ados et l'argent, c'est tout un programme. Un milliard et demi d'euros, tel est le pouvoir d'achat des dix à dix-huit ans ! Vingt-cinq milliards lorsqu'on étend la notion de jeunes jusqu'à trente ans[3]. On comprend qu'ils constituent une cible commerciale privilégiée dans une société de consommation qui a su les rendre addicts aux marques, à un âge où en général il est primordial d'avoir le même T-shirt que le copain. On ne les connaît que trop bien les exigences vestimentaires de nos jeunes, qui n'en finissent pas de réclamer telles ou telles baskets, ou tels vêtements de marque…

Ils en dépensent une partie directement, via leur argent de poche, mais ils sont surtout prescripteurs[4]. Et les industriels savent parfaitement agir, dès le plus jeune âge, sur l'influence de l'enfant roi. Nos ados sont devenus experts en stratégie pour harceler les parents, qui finissent par céder, de guerre lasse ou pour leur offrir « ce qu'il y a de mieux ». Les divorces offrent aux adolescents une possibilité supplémentaire de tirer profit de la situation.

La place centrale de l'argent dans la dynamique familiale à l'adolescence illustre parfaitement leur situation paradoxale. Ils peuvent exercer sur les adultes un pouvoir de persuasion, voire les contrôler, et en même temps ils dépendent financièrement d'eux.

L'argent contribue à l'apprentissage de la gestion du réel, avec sa part inéluctable de frustration, de renoncement et donc de sublimation. Moyen pour le jeune d'apprendre à mettre de la distance, du temps, entre désir, pulsion et réalisation, il participe au processus de maturation. À cet âge, on commence à se constituer sa propre représentation de l'argent, soit en se différenciant de celle des parents, soit au contraire en s'identifiant à elle : radin comme papa ou dépensier comme maman, pour faire caricatural ! Alors qu'on pense s'émanciper avec l'argent, on s'apercevra que le rapport à l'argent, mine de rien, participe au travail de filiation psychique.

Mais en même temps, l'argent, moyen d'émancipation, est encore l'argent des parents et donc maintient le lien, empêche l'indépendance. L'adolescent est en tension entre un désir, un besoin d'autonomie et une impossibilité de sortir de la dépendance économique. Plus il a de l'argent, plus il se croit autonome, mais plus il demeure dépendant ! Cette dépendance financière prolongée place l'ado dans un profond paradoxe. Son corps devient adulte, la sexualité peut être vécue de plus en plus tôt, et en même temps ce lien d'argent le retient, le rattache, rendant plus compliqué encore le détachement nécessaire.

À travers l'argent, bien des enjeux relationnels sont à l'œuvre. Du côté des parents, il peut y avoir une espèce de chantage affectif : « Je te donne ce que tu réclames, mais sois gentil avec moi. » L'argent peut être aussi une manière de retenir l'enfant : « Tant qu'il a besoin d'argent, c'est qu'il a encore besoin de moi, je ne me sens pas inutile. » Pour le jeune, ses réclamations incessantes, quelquefois abusives, sont une manière de faire monter la pression sur ses parents. Son immense besoin de les mettre en difficulté à cet âge c'est une manière aussi de montrer qu'il existe. À travers ses besoins d'argent, il se cherche, il est en quête de lui-même, il exprime une grande part de son malaise.

Traversé par des bourrasques de désirs, il aspire à bien des choses qu'il ne peut réaliser aujourd'hui. Alors quelquefois, il vaut mieux faire taire tout cela et déprimer un peu. L'adolescence, c'est le début d'un terrible apprentissage de la patience. Si l'enfance est un réservoir de rêves, l'adolescence est un puits de désirs, mais il faudra attendre encore un peu pour en réaliser effectivement quelques-uns. C'est peut-être parce que cela réveille quelque chose du même ordre chez les adultes que la crise d'adolescence a un fort écho. Tout se passe comme si, à l'adolescence, les sujets étaient confrontés à des questions qui désormais ne les quitteront plus : « De quoi, envers qui suis-je redevable ? Qu'est-ce qui compte vraiment pour moi, quelles sont les valeurs fondamentales auxquelles je ne dois pas renoncer ? » – questions qu'on oublie peut-être de se poser sciemment, ensuite, tant la vie va vite. Mais au moment où elles surgissent chez nos jeunes, ne viennent-elles pas aussi nous réveiller d'un long engourdissement ?

À l'adolescence commence une longue série de règlements de comptes. Tant qu'on est dans l'opposition, dans la révolte envers sa famille, c'est qu'on n'en est pas encore sorti. L'indépendance profonde, apaisée et reconnaissante, se construit en dépassant la contestation. Une fois ressortis du passé avec toute leur charge douloureuse, les contentieux doivent pouvoir être liquidés afin de ne plus encombrer le présent. Solder les comptes avec le passé, c'est accepter la réalité de son enfance, en la réécrivant sans cesse autrement. Ce que l'ado met en mouvement ne cessera de se poursuivre tout au long de l'existence. À l'entrée dans la vie professionnelle, quand on forme un couple, quand on devient parent, à l'adolescence de nos enfants, quand on se sépare, quand on quitte un travail, quand on perd un parent –, chaque étape est une occasion de solder de manière un peu plus sereine les comptes de son enfance, et de se libérer de ce qui fut encombrant, tout en savourant ce qui fut bon. Et il faut parfois toute une vie pour solder les comptes avec sa famille de manière satisfaisante pour soi et pour les autres.

L'heure des bilans pour les parents

« Tu pourrais lui dire quelque chose, au moins, au lieu de rester comme ça, sans rien faire devant ton ordi ! » hurle cette mère excédée tant par son fils qui vient de l'insulter que par la passivité de son mari.

« De toutes les manières, je ne vois pas pourquoi je crie après Marion, tu vas passer derrière moi et dire oui à tout ce qu'elle demande ; comme toujours, tu me désavoues devant elle. »

« Ton fils, il ne prévient jamais quand il sort : ce n'est pas étonnant, tu ne lui as jamais appris le respect des règles. Ça a toujours été comme ça dans ta famille. »

« Ne te plains pas s'il te répond, tu n'avais qu'à être plus présent. Tu ne t'es jamais occupé de tes enfants, ça a toujours été le travail avant tout. Tu n'espères pas qu'il va t'épargner tout de même, c'est un juste retour des choses ! »

À l'adolescence, les parents, qu'ils vivent ensemble ou séparés, constituent pour le jeune une cible non négligeable. Attaquer le couple parental est un moyen pour lui d'exprimer ses angoisses vis-à-vis de sa future vie amoureuse, une manière de mettre à distance ce modèle qu'il trouve tellement « nul ». Mais c'est aussi pour l'ado ambivalent un moyen de vérifier le pouvoir qu'il a encore sur son père et sa mère. Tant qu'il est capable d'ébranler le couple, de mettre le feu à la relation de couple, c'est qu'il a de l'ascendant sur ses parents, preuve qu'il existe toujours pour eux. Tant qu'il les contrôle, il sait que le lien entre eux et lui persiste, malgré tout. Voir ses parents se disputer à cause de lui, c'est finalement à cet âge plus rassurant que culpabilisant.

Admettons-le, l'adolescence de nos enfants nous met en crise. Les questions que nos ados se posent réactualisent celles que nous nous posions au même âge. Nous sommes inévitablement renvoyés à notre propre adolescence. Viennent s'ajouter toutes celles que nous nous posons aujourd'hui, liées à notre âge propre : cela fait un sacré travail pour notre calculette inconsciente. La période est difficile non seulement parce que nos enfants nous mettent en difficulté, mais aussi parce que nous affrontons nos crises des quarante ou cinquante ans. C'est l'heure d'un premier bilan important côté vie amoureuse, professionnelle, amicale... Qu'avons-nous fait de nos désirs d'adolescents ? On compte les renoncements, les réussites, les réalisations...

Que nos enfants grandissent nous ouvre à un autre rapport au temps. On sent que notre temporalité se rétrécit. Temps biologique, temps psychique se réorganisent. Alors qu'ils traversent, médusés, leurs métamorphoses pubertaires, nous voyons apparaître chez nous les premiers signes de vieillissement, les premières rides, un peu plus de fatigue. Oui, les années commencent à compter, et il va falloir compter désormais avec elles. D'une façon étrange, elles vont de plus en plus vite.

Nos enfants nous rappellent qu'on n'a plus vingt ans, mais la société, encore plus féroce, voudrait nous faire croire qu'au-delà de quarante-cinq ans, on est moins performant sur le plan professionnel. Que l'adolescence des enfants suscite une crise chez les parents, c'est très bien. Car crise signifie changement, alors profitons-en pour mettre en place des changements auxquels on tient.

Voici une nouvelle équation de nos mathématiques familiales : crise d'adolescence des enfants = crise de croissance des parents.

Il est intéressant d'ailleurs de voir la symbolique du nombre 40, dans de nombreuses traditions. C'est l'âge que l'on a, grosso modo, à l'adolescence de nos enfants. Le nombre 40 jalonne l'histoire biblique de manière incroyable. Saül, comme David, règne quarante ans,

Salomon aussi. L'Alliance avec Noé suit les quarante jours du Déluge, Moïse est appelé par Dieu à quarante ans, il demeure quarante jours au sommet du mont Sinaï. Jésus prêche quarante mois, le Ressuscité apparaît à ses disciples pendant les quarante jours qui précédent l'Ascension. Jésus, représentant l'humanité nouvelle, est conduit au Temple quarante jours après sa naissance ; il sort victorieux de la tentation subie pendant quarante jours, il ressuscite quarante heures après sa mise au sépulcre. Bouddha aurait commencé son enseignement à quarante ans. C'est aussi le chiffre des épreuves ou des châtiments : les Hébreux infidèles sont condamnés à errer quarante ans dans le désert. Dans de nombreux rituels mortuaires, ce nombre joue un rôle important : c'est souvent après quarante jours que les deuils sont finis. Ce nombre marquerait l'accomplissement d'un cycle, qui semblerait aboutir non pas à un simple recommencement des choses, mais à un changement radical, un passage d'un mode d'être à un autre.

Et si l'adolescence de nos enfants marquait la fin d'un cycle, ouvrant sur une ère résolument nouvelle ? Il ne reste plus qu'à oser s'y projeter, se risquer à la nouvelle liberté qui s'offre.

Cette nouvelle période s'inaugure peut-être par l'apprentissage des comptes. Si on donnait aux ados de la même manière que lorsqu'ils étaient petits, ils deviendraient tyranniques et auraient encore plus de mal à quitter le nid. Nous avons à évaluer la bonne mesure des dons. D'accord pour être disponible quand il y a un chagrin d'amour dévastateur, quand ils ont vraiment besoin de notre écoute, mais pas d'accord pour débarrasser leur tasse de déjeuner. D'accord pour acheter certaines chaussures sans lesquelles ils ne peuvent absolument pas aller au lycée, mais repasser leur jean à n'importe quelle heure du jour ou de la nuit, non. D'accord pour un téléphone portable, mais avec une limite au niveau du budget pour ne pas nous mettre, nous, en difficulté. Compter fait alors partie intégrante de la relation éducative. À nous de garder la main sur les comptes, au risque de se laisser déborder. Non, tout ne leur est pas dû, et on a raison de se révolter. En fait, si quand ils étaient petits nous devions prendre notre autonomie vis-à-vis de nos propres parents, à présent il s'agit, pour les parents, de devenir indépendants par rapport à leurs adolescents.

En rencontrant des parents adultes qui s'affrontent à eux, qui leur résistent, les adolescents pourront sortir de cette étape du « Tout m'est dû ». Autant ce passage de règlements de comptes est nécessaire pour eux, autant il est indispensable qu'ils le dépassent. Tant qu'ils restent dans cette position de demande de réparation, cela peut être préjudiciable pour leurs autres relations.

4
Les solidarités intergénérationnelles

Le lien éthique devient le pivot de la relation

Quand les enfants deviennent adultes, la chaîne des dons descendants se poursuit sous des formes nouvelles et avec de nouvelles questions. L'indépendance financière étant de plus en plus tardive, les parents, voire les grands-parents, continuent d'aider leurs enfants ou petits-enfants même après leur départ de la maison. Tous, en effet, ne sont pas des Tanguy. La réalité économique rend l'envol souvent difficile, et un coup de pouce familial facilite les choses.

Selon une enquête de l'Insee publiée en mars 2007, plus de la moitié des parents dont les enfants sont partis ont déclaré les aider financièrement soit par des transferts d'argent réguliers ou occasionnels, soit en mettant à leur disposition un logement. Pour 20 % des enfants aidés, cet apport représente plus de 40 % de leur budget[1]. Les aides financières peuvent être aussi indirectes, comme se porter caution pour un prêt ou garantir un bail. Sans compter tous les services rendus : bricolage, aide à l'aménagement de l'appartement, présence auprès des petits-enfants quand ils sont déjà venus agrandir la famille... Quitter le nid familial ne signifie pas couper les liens. Lorsque les enfants partent, ils restent à proximité. Trois Européens sur quatre vivent à moins de cinq kilomètres de l'enfant le plus proche, et sont en contact avec lui plusieurs fois par semaine[2]. Mais le départ a des incidences patentes, sur plusieurs plans.

Sur le plan social, ces solidarités ne sont pas neutres. Contrairement aux aides diverses de l'État, ces solidarités intergénérationnelles accentuent les inégalités puisque tous les jeunes adultes ne peuvent en bénéficier. Quant aux relations familiales, si celles-ci sont maintenues, elles se transforment profondément. Les aides se situant de plus en plus sur le registre économique et financier, de quelle manière cela modifie-t-il la donne ?

Au moment où le jeune adulte s'investit dans sa nouvelle vie amoureuse et professionnelle, où il se détache de ses parents, de sa famille d'origine, tout se passe comme si les liens d'argent venaient subrepticement occuper la place laissée vacante par les liens affectifs et symboliques. Le jeune adulte est davantage préoccupé par la construction de sa nouvelle vie que par le respect de son histoire familiale, même si celle-ci continue de l'habiter et de l'agiter intérieurement. Dans les échanges intergénérationnels, il y a un peu plus de finance, un peu moins d'affect... du moins de la part des jeunes adultes. Pour eux, la corde qui les relie à leur famille d'origine perd de sa densité, de sa force, l'équilibre des fils se recompose autrement : le fil « lien d'argent » s'épaissit, le lien « affection » se distend. Les jeunes adultes sont dans la phase de construction d'une nouvelle corde.

> « Quand ma fille m'appelle dès le matin, je peux être sûre que c'est pour me demander un service ! »

« Si mon fils est particulièrement aimable, je sens qu'il y a anguille sous roche. Il a un achat à faire – oh, il ne demande jamais rien directement, mais si je lui propose une petite rallonge, il ne dit pas non, il est ravi ! »

Dans les glissements qui s'opèrent au moment où les enfants s'installent dans leur nouvelle vie, les parents peuvent avoir l'impression que leur enfant devient de plus en plus intéressé, de plus en plus calculateur, et de moins en moins aimant, aimable, alors que ces pères, ces mères continuent à s'accrocher à la corde familiale tressée depuis si longtemps. Cette corde se nourrit désormais de souvenirs, de mythes, de regrets, aussi bien que de petits chèques, de donations. Tout cela reste gorgé d'une tendresse qui ne s'étiole pas malgré le temps qui passe. Quand les parents donnent, et même quand ils donnent de l'argent, ils continuent à situer leurs dons sur le registre affectif. Ils aiment leurs enfants presque comme autrefois même si l'âge avance. Ils leur donnent ce qu'ils peuvent, comme ils peuvent, dans le but de leur faciliter la vie.

Les parents sont dans l'affect, gardiens d'un lien que les jeunes adultes ont besoin de rendre plus ténu. Dans ces dons, dans ces échanges, l'asymétrie demeure et s'accentue, entre des parents pour qui l'enfant demeure toujours une préoccupation importante et un jeune adulte qui les aime, sans doute, mais dont le regard, les projets le portent ailleurs que vers ses ascendants.

Les familles recomposées n'échappent pas à la transformation, bien au contraire. L'aide vers les jeunes en provenance de la mère ou de la lignée maternelle est plus importante et plus régulière que celle en provenance du père, tant qu'ils restent à la maison. On peut supposer l'influence de la belle-mère, mais pas seulement. La mère tient aussi à garder la maîtrise des flux financiers et s'oppose, souvent, au fait que la pension soit versée directement aux enfants. Par contre, quand l'enfant devient indépendant, que le soutien ne transite plus par la mère, l'aide du père augmente, s'intensifie. Parfois l'aide paternelle n'intervient que lorsque le jeune a quitté le domicile maternel. Parfois, le père le fait en douce, à l'insu de sa nouvelle compagne. L'argent peut être alors au service du lien de cœur, entraînant un rapprochement avec le père en renforçant la filiation.

Dans les familles recomposées, lorsque la méfiance et la rivalité prédominent, il y a souvent un renforcement de la logique comptable destinée à mesurer les apports de chacun envers ses propres enfants[3].

D'une manière générale, les réaménagements liés à ce cycle de vie s'organisent d'autant mieux que chacun a conscience de sa responsabilité vis-à-vis de l'autre. Cette conscience éthique va désormais jouer un rôle central dans la qualité relationnelle intergénérationnelle et dans son évolution.

Toutes les attitudes sont dans la nature. Parmi les enfants devenus adultes, il y a ceux qui ne veulent rien recevoir de leurs parents, il y a ceux qui ne demandent rien mais qui savent apprécier ce qu'ils reçoivent, il y a ceux qui ne sont jamais contents. Parmi les parents, il y a ceux qui « se saignent » outre mesure pour leurs enfants, ceux qui pensent être justes mais qui favorisent un de leurs enfants, d'autres qui agissent avec sagesse.

De plus en plus d'éléments nouveaux vont intervenir, rendant plus complexe encore un lien qui n'a jamais été simple.

« J'avais quatre enfants, explique Stéphanie, je parle au passé parce que depuis trois ans je ne vois plus ma seconde fille. Aussitôt après ses vingt ans, elle venait de rater ses concours, elle était en pleine crise et elle a voulu vivre avec son petit copain dans sa famille à lui. Elle nous en voulait terriblement, elle estimait qu'on ne l'avait pas aidée ni psychologiquement ni financièrement, qu'on ne l'avait pas soutenue... bref, qu'elle avait tout raté à cause de nous. Étant chez ce garçon, elle a décidé de refaire une année pour repasser ses concours. On n'a jamais été contre. De nous-mêmes, on lui donnait alors 300 euros par mois. Je me souviendrai toujours du jour où j'ai reçu une assignation. Ça a été un tsunami dans ma vie. Ma fille nous traînait en justice. Vous savez pourquoi ? Elle estimait qu'on ne lui donnait pas suffisamment ! Comme d'après elle on ne peut pas parler ensemble, elle nous a dit qu'elle n'avait pas d'autre moyen pour se faire entendre que de nous traîner devant la justice ! Elle réclamait 600 euros, le juge a tranché à 450. Nous, on s'en fiche de l'argent, moi je veux seulement qu'on puisse reprendre contact. C'est trop dur pour moi, cette rupture. Le plus dur, c'est qu'on ne comprend pas pourquoi elle nous en veut à ce point. Mon mari et moi, ses frères et sa sœur, qu'elle ne voit pas non plus, on ne cesse de ruminer. Ça me mine littéralement. Est-ce qu'on l'a blessée, malgré nous, est-ce qu'elle s'est sentie rejetée ? Si au moins on savait, on essaierait d'arranger les choses. »

Exceptionnel ? Oui, mais pas tant que cela. Depuis quelques années, on voit se développer ces démarches. Chaque année, environ deux mille parents sont assignés en justice par leurs enfants majeurs pour « obligation alimentaire », en référence à l'article 203 du Code civil. C'est assez symptomatique de la tendance actuelle qui pousse les individus à se situer surtout sur le registre du droit, revendiquant ce qu'il leur semble être dû. Dans cette logique, il paraît normal de demander des dommages et intérêts quand on se sent lésé. Mais entre parents et enfants, cette logique d'indemnisation ne peut aboutir qu'à des impasses. Une pension de 150 euros de plus ou de moins ne pourra jamais venir compenser, réparer, les préjudices ressentis par le jeune adulte.

Le raisonnement « Ils vont me le payer » n'a jamais rien réglé ! D'ailleurs, peut-on espérer régler quoi que ce soit en restant sur le registre des droits ? N'est-il pas temps de se placer aussi sur le registre des devoirs, c'est-à-dire de sa responsabilité propre ?

C'est au moment où il devient réellement indépendant que le jeune adulte est le plus fortement en prise avec la question complexe des loyautés symboliques, psychiques. S'il doit oser se défaire de certaines en refusant par exemple les missions inconscientes transmises par la famille, en ne cherchant pas à régler les comptes d'un autre, s'il doit accepter le fait d'être toujours redevable à ses ascendants, il doit en même temps reconnaître ses devoirs filiaux. Être libre, c'est parvenir à respecter ses devoirs. C'est par là que passe la véritable émancipation.

Il est vrai qu'on parle peu du « travail psychique » à faire quand on commence à entrer dans sa propre vie d'adulte, un moment clé de l'existence, très riche en potentialités. Au début de ce nouveau cycle de vie, contrairement à l'adolescence, il est tout à fait possible de mettre en œuvre ses aspirations, de concrétiser ses désirs. On commence à avoir les moyens de sa liberté, mais pour les saisir vraiment, il ne faut pas se tromper de combat.

Ces devoirs, il s'agit peut-être de les définir : porter assistance aux ascendants, leur rendre service, être présent, même par téléphone. Mais l'essentiel de l'éthique filiale consiste en un changement de position profond et radical, à savoir quitter les positions infantile et adolescente. Il s'agit fondamentalement de se placer dans un processus actif de reconnaissance, plus précisément au niveau 2 de la reconnaissance.

Trois choses au moins sont à reconnaître :

1. Reconnaître que les parents ne nous doivent plus rien désormais. Grandir, c'est solder les comptes non solvables. C'est-à-dire ne plus revenir sur les défaillances parentales, ni sur les carences de notre enfance. Ne plus attendre l'impossible, ne plus espérer de manière naïve que les parents puissent nous apporter un jour ce qu'ils n'ont pu nous donner jusqu'à présent. Réclamer un dû nous inscrit dans une logique de droit destructeur. En un mot, il s'agirait de ne plus rien attendre, ne plus rien espérer d'eux, soit un véritable travail d'exonération qui permet de sortir de la position infantile et qui implique que les parents acceptent l'idée de ne plus être indispensables. À ce moment-là, quel souffle entre dans la vie ! C'est ainsi que nous nous plaçons de manière juste dans l'enchaînement des générations. Abandonner l'idée que les parents doivent encore faire quelque chose pour leurs enfants devenus adultes ouvre ces derniers à leurs devoirs filiaux. C'est ainsi qu'ils pourront recevoir ce que les parents continuent à donner comme quelque chose d'inattendu, voire d'inespéré, et d'autant plus appréciable. Les parents, de leur côté, ne se sentant pas obligés de donner le feront avec plus de plaisir. Davantage de joie, de plaisir, de légèreté circulera alors entre les générations.

2. Reconnaître ce qu'on a reçu, plutôt que de rester rivé sur ses manques. On reçoit des générations passées bien plus qu'on ne l'imagine. Commencer à compter, c'est-à-dire à identifier ce qui nous a été transmis, nous enracine dans notre histoire, structure notre identité. On sait davantage d'où l'on vient, où l'on va, et qui l'on est. Reconnaître ce qu'on a reçu nous permettra de transmettre à notre tour. Cesser de regarder notre enfance avec nostalgie nous rendra plus énergiques, nous permettra de nous projeter davantage vers le futur.

3. Reconnaître que nous n'avons pas de comptes à demander aux générations passées, sur ce qu'ils font, disent, sont, ou sur ce qu'ils ne peuvent pas faire, ne veulent pas, ne sont pas... En un mot, sortir d'une position adolescente. Se libérer de son histoire incombe à chacun.

Comment mettre en œuvre ce triple travail de reconnaissance active ? « Tu honoreras ton père et ta mère » se trouve être le cinquième des dix commandements. Les quatre premiers concernent la relation des hommes avec Dieu. Le cinquième a une position charnière et concerne donc la relation de l'homme avec ses parents. Les cinq derniers évoquent les devoirs des hommes les uns envers les autres. En hébreu, *honorer*, c'est *cavod*, qui signifie littéralement *lourd*. Au plus près du texte, le commandement voudrait dire : « Rends lourds ton père et ta mère, donne de l'épaisseur à leur vie. Même si le sens de leurs gestes, de leurs actions, de leur choix t'échappe, admets qu'il existe. Accepte l'idée qu'ils ne pouvaient pas faire autrement que ce qu'ils ont fait, qu'ils ont, sans doute, fait du mieux qu'ils ont pu, resitue-les dans leurs trajectoires sans les regarder à travers tes yeux d'enfant centré sur son ego et ses seuls manques. Admets qu'ils ont eu leurs souffrances, leurs impossibles, leurs fardeaux, leurs loyautés. Même à leurs manquements on peut donner du poids. Attribue du sens à leur vie, même si tu ne le saisis pas, ne le comprends pas, accepte qu'ils aient été différents de toi. En un mot, donne de la substance à leur être. » C'est ce que semble signifier cette injonction de respect.

Donner du poids à la vie de ses parents peut être une voie intéressante pour se libérer de l'obligation de réparer, de l'injonction de répéter leur histoire. Plus on resitue ses parents dans le sens de leur vie, moins on a besoin de les faire vivre à travers nous. Cela permet à l'histoire de rester en mouvement. Si on ne donne pas suffisamment de poids à ce qu'ils sont, on se retrouve à porter tout le poids qui leur a manqué.

Finalement, c'est ainsi que nous pouvons rendre à nos parents, en les rendant à leur propre vie, les restaurant dans la profondeur de leur existence, dans la complexité de leur vécu, a fortiori si ce sens nous échappe. C'est peut-être cela, respecter ses parents.

Et maintenant, que puis-je faire pour vous ?

Vient un jour où les parents vieillissent et où ils deviennent dépendants. Les solidarités doivent alors s'inverser. Les dons remontent vers les parents âgés. Juste retour des choses !

Alzheimer, maladie, assistance diverse, même si cela dure peu sur l'échelle d'une vie de famille, ces dons inversés relèvent souvent davantage du devoir que du plaisir. La gratitude passe par le respect de ce qu'on doit aux anciens. L'ingratitude nous fait sortir du champ de notre responsabilité.

Mais de toutes les manières, le solde aide reçue-aide offerte restera toujours dans le rouge. Dans cette direction, l'entraide est essentiellement basée sur de menus services, de la présence, elle est davantage matérielle que financière. Dans une relation d'aide à un parent, les aides en nature sont nettement préférées. L'argent est souvent malvenu et peut même être considéré comme un marqueur de distance. Quand il est donné, c'est discrètement.

L'entraide reste très liée aux représentations culturelles et aux valeurs morales qui y sont attachées[4]. D'après une enquête de 2004 auprès de quinquagénaires, la prise en charge des parents âgés varie d'un pays à un autre. En Europe du Sud, plus de 20 % des foyers hébergent un ascendant, contre 2 % en Europe du Nord. L'entraide y est donc quotidienne et s'intègre dans le mode de vie. Quand le parent âgé n'habite pas sous le même toit, il demeure à proximité. 58 % des quinquagénaires restent en contact avec le parent âgé plusieurs fois par semaine, et plus de 40 % disent apporter une aide sous forme de soins et de courses. Évidemment, dans 90 % des cas, ce sont les femmes qui s'occupent des parents âgés. En Europe du Nord, les hommes sont plus nombreux qu'en Europe du Sud à participer à cette aide.

Les quinquas sont donc une génération charnière. Ils aident leurs enfants devenus adultes et leurs parents devenus dépendants. Et on veut nous faire croire qu'ils sont individualistes !

Ces échanges intergénérationnels génèrent d'importants conflits de loyauté : entre un petit-fils à garder et des courses à faire pour une mère malade, il n'est pas toujours facile de jongler. À la fatigue physique se rajoute la fatigue psychique. Voir ses parents vieillir, devenir dépendants, est douloureux, expose à des choix qui nous bouleversent, font émerger une forte culpabilité. Que faire quand l'état de santé du parent met sa vie en péril : doit-on le mettre en maison de retraite ou non ? Cette période lourde sera mieux vécue si auparavant les comptes ont pu être clarifiés. Mais quelquefois on se heurte à l'impossibilité pour le parent de changer, même si soi-même on a changé. Certains ne laissent pas la possibilité aux enfants d'être de « bons enfants », ne permettent pas l'apaisement qui serait pourtant bienvenu. « Ce que je fais pour ma mère, ce n'est jamais assez, elle n'est contente de rien, si je lui prépare une soupe, elle veut de la purée… en vieillissant, elle devient trop dure. » Les personnes âgées peuvent devenir tyranniques et culpabilisantes. Il est certain qu'on ne peut répondre à toutes leurs exigences. C'est au plus profond de sa conscience que l'on doit déterminer la mesure de ce qu'on accepte de faire ou non, en définissant où commencent et où cessent le devoir, le respect, la gratitude.

Michel ne s'est jamais entendu avec sa mère. Il lui en a longtemps voulu. Il adorait son père, très écrasé par sa mère. Il a toujours été en conflit avec elle. Enfant unique, il avait l'impression que le seul amour reçu était celui de son père.

Cependant, séparé de sa femme, son dernier fils n'étant plus à la maison, il a voulu tenter la réconciliation avec sa mère. Il voulait dépasser les rancœurs, les rancunes. Sa mère vieillissant, il parvenait à se sentir plus proche d'elle. Il était désireux d'adoucir un peu les dernières années qu'il lui restait à vivre, il avait envie de « solder ses comptes » avec elle avant qu'elle ne disparaisse. Ainsi, quand elle devint dépendante, il décida, contre l'avis de tous, de l'accueillir chez lui. Ce ne fut que bagarres, conflits. La mère soupçonnait le fils de mauvaises intentions, elle l'insultait… Si bien qu'au bout de deux semaines il chercha un établissement, le cœur en peine.

Le cheminement qu'il avait fait pour lui n'a pas pu rencontrer une mère restée aigrie, repliée sur sa souffrance, dans l'impossibilité d'aimer. Même à la fin de sa vie, elle n'a pas pu laisser son fils devenir à un moment donné un « bon fils » Elle ne lui a pas laissé la possibilité de donner.

Clarifier les comptes, mettre en œuvre une éthique relationnelle quelquefois n'améliore pas les relations intrafamiliales, mais améliore la relation du sujet avec lui-même. Gageons que Michel dépassera assez facilement la culpabilité dans la mesure où il a tenté ce qu'il a pu, et qu'il peut ainsi ne pas avoir honte de se regarder dans la glace.

Compter permet aussi de situer la responsabilité de chacun dans la relation. Dans toutes les interactions humaines, nous sommes nécessairement limités par l'autre. L'admettre constitue une perte, une frustration, mais nous place peut-être en plein cœur de l'exigence de l'éthique.

5

Les héritages familiaux : cadeaux ou fardeaux ?

Les diverses figures d'un héritage familial

Quand on est parent, on donne aussi bien de son vivant qu'après sa mort, on donne « mort et vif ». Parmi les solidarités intergénérationnelles, il en est une particulièrement intéressante : la donation qui permet de donner de son vivant à ses enfants et ses petits-enfants tout ou partie de son patrimoine, sous forme de dons d'argent, transmission de biens immobiliers, de valeurs mobilières ; c'est un acte notarié, encadré par des mesures légales. Il s'agit en fait d'anticiper son héritage de son vivant.

La donation s'ajuste particulièrement bien à l'évolution des besoins de tous. C'est une pratique qui se développe de plus en plus, favorisée depuis le 21 août 2007 par des mesures légales qui offrent des abattements fiscaux. Ne nous leurrons pas, il s'agit pour le gouvernement, de manière très explicite d'ailleurs, de relancer l'économie. Les seniors sont considérés comme nantis, ils détiennent un « trésor » fortement convoité par les pouvoirs publics qui voient en lui un gisement inespéré[1]. Leur espérance de vie se rallongeant, donner de leur vivant aux jeunes générations, via des donations, va faire circuler cet argent.

Mais pourquoi anticiper la transmission successorale quand on est parent ou grand-parent encore en bonne santé ? Tout le monde y trouve son compte : les enfants, qui en bénéficient au moment où ils en ont le plus besoin ; les donateurs, qui voient d'un mauvais œil les taxes venir grever le patrimoine laissé aux enfants en héritage et évitent par là que le fruit du travail de toute une vie aille en partie à l'État ; la société, puisque l'argent des donateurs circule.

Donner par le biais d'une donation est un acte important. Le donateur transmet de manière irrévocable un ou plusieurs biens. Ce qu'il donne de son vivant est intégré au futur calcul de l'héritage, c'est dire qu'on ne peut pas donner de n'importe quelle manière et à n'importe qui.

Ne se limitant pas au seul intérêt économique, la loi tente d'introduire un peu de morale : donation contre soins aux anciens. Une donation, en effet, aux yeux de la loi, peut être « révoquée pour ingratitude ». Les textes prévoient que le donataire a un devoir de reconnaissance à l'égard de celui qui l'a gratifié. Trois cas d'ingratitude sont énoncés dans l'article 955 du Code civil : porter atteinte à la vie du donateur ; lui faire subir des sévices, injures graves ; le refus d'aliment. Si le donateur se trouve dans le besoin, le donataire a obligation de l'aider financièrement sous peine de perdre le bien reçu. Les hommes de loi ne se font donc nulle illusion sur leurs prochains : aptes à prendre, moins pressés de rendre.

Sur le plan relationnel, dans une donation le donateur énonce l'acceptation de sa propre mort. C'est une démarche importante. Cela permet aussi d'une certaine manière de se détacher de son illusoire toute-puissance. En transmettant tout ou partie de ses biens, de ses avoirs, on laisse un peu plus de place à l'être de ses enfants. Et on peut prendre plaisir à voir ces enfants avoir plus. C'est déjà une forme de passation de pouvoir, il s'agit d'accepter de renoncer à la possession personnelle, pour donner à ses enfants. En donnant de son vivant tout ou partie de son patrimoine, le donateur lance un message implicite : « Ce qui compte pour moi, c'est votre bonheur, votre épanouissement. »

Mais recevoir un héritage, que ce soit par donation ou non, c'est recevoir bien plus qu'un bien immobilier, qu'une somme d'argent. Tout héritage appelle un remaniement psychique et a un coût important sur ce plan-là. La mort d'un parent est bouleversante, qu'on s'y attende ou pas, qu'elle vienne nous libérer de l'emprise d'un parent toxique ou qu'elle soit la pure perte d'un être très cher. L'expression décrivant l'héritage : « Le mort saisit le vif » a toute sa vérité sur le plan psychique. Après la mort du défunt, on est submergé par des souvenirs qu'on croyait oubliés, voire écrasé par tout ce qui remonte à la surface de notre mémoire et de notre conscience, de jour comme de nuit. L'espace psychique de la personne endeuillée est littéralement envahi par l'absence de l'être cher. Ces souvenirs permettent de reconstituer une autre figure du défunt, plus idéalisée ou plus diabolisée. Faire le deuil se joue sur le plan de l'affect, il s'agit d'assumer cette perte douloureuse, mais c'est aussi pacifier avec l'image du défunt, ce qui permet de pacifier avec soi-même. Petit à petit il va falloir se dégager de cette emprise du mort, métaboliser ces changements intérieurs, identitaires. La mort d'un parent modifie notre identité, avec notre place dans l'enchaînement des générations. On a beau avoir cinquante, soixante, voire soixante-dix ans, on n'en devient pas moins orphelin… et les prochains sur la liste de la Faucheuse.

Le décès d'un parent nous confronte à la perte, et à notre finitude, à cette mort qu'on a de toutes les manières bien du mal à accepter. Un travail personnel est nécessaire pour apaiser la relation qu'on avait avec le défunt. Avec sa mort, il emporte tout espoir de pouvoir vivre avec lui ce qui ne fut pas vécu. Il va falloir accepter que ce qui n'est pas advenu n'adviendra plus, se défaire encore et sans cesse de lui, de nos manques, afin de ne pas faire de l'héritage et des biens hérités des reliques qui empoisonneraient les vivants et figeraient la vie à l'endroit de la mort.

La relique entretient une dépendance affective au disparu. « La relique est ce qui, du mort, est conservé pour garantir au nom de la réalité qu'il ne reviendra pas », a écrit Pierre Fédida[2]. Elle vient à la place de la perte, de l'absence, du vide laissé. Elle est trace. Tant que cette relique est encore nécessaire, on s'invente des missions envers le défunt, ce qui est encore une façon de le faire vivre, de ne pas accepter le réel de la perte.

Nul n'est besoin d'avoir des frères et sœurs pour qu'un héritage fasse remonter à la surface tous les comptes non soldés de la vie, toutes les rancœurs accumulées à l'encontre de ses parents. L'héritage est cet ultime moment où on peut décider d'en finir avec les règlements de comptes ou, au contraire, choisir de s'enferrer dans ce qu'ils ont de plus sordide, de plus inutile et de plus néfaste. Douloureux s'il en est, c'est cependant un moment où on peut régler bien des choses, ou au contraire les figer encore pour de longues années. Chacun, dans la famille, a à faire un parcours personnel pour solder définitivement ses comptes avec le défunt. Faute de quoi, il risque d'entraîner ses enfants, les générations à venir dans des règlements de comptes qui ne les concernent pas et qui pourtant les envahissent.

L'histoire de Valérie illustre bien à quel point tous les niveaux sont confondus, et interdépendants. Élodie, sa fille de sept ans, ne connaît pas ses grands-parents maternels. Ceux-ci ont engagé une procédure juridique pour faire valoir leurs droits. Valérie est fâchée avec ses parents depuis plusieurs années. Ils n'ont jamais accepté son union avec Christian, qui n'est ni de la même religion ni du même milieu social. Les parents de Valérie, qui l'ont toujours beaucoup encensée quand elle était jeune, se sont sentis trahis par le choix amoureux de leur fille unique, sur qui ils avaient forgé d'importants espoirs. Sans doute a-t-elle été surinvestie. Malgré leur opposition, elle a décidé de se marier avec Christian, et elle n'a pas invité ses parents à son mariage. Par contre la grand-mère maternelle de Valérie était présente ; étant sa petite fille unique, elles ont été toujours très proches. Valérie trouvait un réconfort auprès d'elle, quand cela n'allait pas avec ses parents.

Peu de temps après le mariage, la grand-mère est décédée. S'est posée alors la question de son héritage, assez conséquent. De son vivant, elle avait toujours dit à Valérie : « Tout ce que j'ai, c'est pour toi. Grand-père a beaucoup travaillé, il pensait avant tout à toi. Tout te reviendra. » Mais comme aucune disposition particulière n'avait été prise, ce sont les parents de Valérie qui héritèrent en ligne directe. Elle s'est sentie doublement lésée : d'une part, elle s'attendait à recevoir la quasi-totalité des biens de sa grand-mère, bijoux, tableaux ; d'autre part, ses parents ayant changé de régime matrimonial, en constituant une communauté universelle, elle ne recevrait d'héritage qu'après le décès de ses deux parents.

Simultanément à toutes ces histoires de « gros sous », Valérie essayait d'avoir un enfant. Elle eut bien du mal à « tomber » enceinte, elle fit plusieurs fausses couches, et ne s'est pas sentie épaulée par sa mère. Au moment où elle voulait engendrer une filiation, elle s'est sentie trahie dans ses filiations propres. Au bout de deux ans, elle a accouché néanmoins d'une jolie petite fille, Élodie... que ses grands-parents n'ont jamais vue.

Valérie ne peut inscrire sa fille dans une appartenance qui l'a à ce point, selon elle, déshéritée et dans laquelle elle ne se reconnaît plus. Élodie est une petite fille vive et intelligente, mais elle ne pose aucune question à propos de ses grands-parents maternels, dont on lui a dit simplement qu'ils étaient morts. Alors même qu'elle voit tous les jours sa grand-mère paternelle. Son silence laisse supposer qu'elle a intériorisé l'interdit parental de nommer cette filiation.

L'argent n'est pas le seul moteur de l'affaire. La reconnaissance de filiation, la recherche d'une place dans la famille, anime l'héritier. Comme toujours dans ces cas-là, c'est l'incompréhension qui règne. Les parents de Valérie ne comprennent pas ce qu'ils ont fait de mal. Valérie, de son côté, n'accepte pas la position de ses parents, mais en se cabrant, elle finit par trahir souterrainement sa fille, en la privant de toute une part de ses origines.

Pour avancer dans notre histoire, il faut accepter de perdre certaines choses. Il appartient à chacun de faire ses comptes pour ne pas les faire payer à ses enfants. On hérite toujours quelque chose de ses parents, que ce soit un héritage patrimonial conséquent ou une petite cuillère, un vase. Ce bien sera investi indépendamment de sa valeur marchande. Il devient inestimable du seul fait d'avoir appartenu à son père, sa mère, à un grand-parent. Il symbolise non seulement la part affective de l'héritage, mais aussi la part inconsciente.

« J'avais du mal à recevoir ces deux vases de ma marraine. Je savais par là qu'elle me transmettait une mission, je n'ai pas tout de suite compris laquelle. Ces deux vases avaient appartenu à ma grand-mère paternelle, qui les avait reçus de son propre père. Par ce don, en fait ma marraine, qui était aussi ma tante, me demandait d'être fidèle à ma lignée paternelle. C'est bizarre car justement c'est ce côté-là de ma famille que je connaissais le moins. Pour ma mère, tout ce qui venait de mon père était minable. Ces deux vases m'ont permis de fouiller un peu plus ce côté-là de mes racines... et, chemin faisant, ça m'a réconciliée avec cette branche, et notamment avec ma grand-mère qui jusque-là m'effrayait plutôt. Je l'ai découverte, bien des années après sa mort, sous un jour bien plus sympathique qu'elle ne m'avait paru quand j'avais sept ou huit ans. Je l'ai beaucoup évoqué avec mes cousins que j'avais perdus de vue...

Pendant tout un temps, ça m'a bouleversée, cette histoire de vases, mais maintenant c'est fou ce que je suis sereine, je me sens bien plus tranquille au fond de moi. Et, chose curieuse, mes filles évidemment m'ont demandé d'où venaient ces vases plutôt pas très beaux. Ça m'a permis de leur parler de mémé, de sortir les photos... Ça a réveillé tout un pan de mon histoire. »

C'est dire que le processus de transmissions entre les générations implique de manière très imbriquée de l'argent, de l'inconscient, de l'affectif. Les défunts nous parlent à travers les objets, qui sont investis de messages, de missions, à prendre et à laisser. Un mélange détonant qui ne peut pas ne pas bouleverser l'équilibre de tout un chacun. Mais n'est-ce pas cela que l'on doit aux disparus : les rendre vivants en redonnant un nouveau souffle au récit de leur vie. Au décès des parents, sonne vraiment l'heure des contes.

Transformer ses héritages : un devoir essentiel envers la vie

Marcel Mauss a défini trois étapes dans le processus d'échanges entre les tribus : « donner, recevoir, rendre », et démontré comment se structurent les liens à travers ces trois étapes. Pour bien décrire les relations intrafamiliales, on pourrait ajouter une quatrième étape : la transformation (n'est-ce pas une manière de transformer l'héritage de Marcel Mauss ?).

Transformer suppose qu'on reconnaît ce qu'on a reçu et qu'on s'autorise à se l'approprier et à lui imprégner sa propre marque.

Hériter suppose un travail d'élaboration, de négociation pour fixer les parts respectives de ce qui sera conservé, réaménagé, rejeté, transformé. Ce travail nous situe dans notre temporalité humaine, comme sujet résultant d'une histoire à reconnaître comme sienne, et à transformer, au cœur d'une transmission toujours en acte[3].

En tant qu'êtres humains inscrits dans une histoire, la transmission nous place devant une question fondamentale : « Que faire de tous ces personnages qui m'ont précédé, sans lesquels je ne serai pas là ? Quelle sorte de loi ces personnages continuent-ils d'édicter ? Qu'est-ce que je poursuis d'eux sur la scène de ma vie actuelle ? De quoi puis-je me libérer sans trahir, ou au contraire en trahissant ? »

L'enjeu de tous ces processus à l'œuvre, c'est l'inéluctable séparation. Il ne peut y avoir transmission que s'il y a séparation. C'est parce qu'on est séparé des temps antérieurs qu'on peut les évoquer. La mémoire rend au passé ce qui est de l'ordre du passé. « La mémoire familiale n'est peut-être rien d'autre que la conscience et l'expression de cette inévitable séparation sans laquelle nul ne pourrait vivre. Ainsi n'entrerait-on dans la voie des aïeux qu'une fois la conviction acquise de leur être à jamais lié, ne serait-ce que par tout ce qui nous a séparés[4]. »

Difficile ? Pas tant que cela ! Il est intéressant de constater que spontanément les personnes obéissent à cette règle de la transformation à propos de l'héritage patrimonial. 70 % des personnes qui héritent de biens immobiliers le conservent. Mais pour ce qui est des valeurs mobilières et liquidités, elles rejoignent rarement le pot des revenus courants et, le plus souvent soustraites à la consommation courante, sont investies dans des « petites folies » : voyages, achat d'un tapis, d'une œuvre d'art, qui constitueront un moment exceptionnel, mémorable concrétisant l'héritage tout en le singularisant : « Il n'aurait pas fait le même choix que moi, mon père, s'il était vivant, mais je crois qu'il serait content de voir que son argent m'a servi à me faire plaisir. »

Il est aussi fréquemment réinvesti pour acquérir un nouveau logement, faire des travaux de rénovation, renforcer la sécurité financière de la famille, en consolider les assises, mais autour de choix désormais définis par l'héritier. L'héritage est bien un opérateur de continuité entre le passé et le présent, mais le présent est marqué par le désir, le goût, la personnalité du donataire. En devenant le nouveau détenteur d'un bien, on lui donne une nouvelle existence. « En tant que signifiant de la transmission, l'héritage n'est ni un bien mort ni le bien d'un mort, mais une grammaire de parenté, le témoin d'une histoire familiale continuée[5]. »

La réception d'un héritage déclenche presque inévitablement une pratique de retransmission aux enfants. Il s'agit de distraire une partie de l'héritage pour faciliter la vie des jeunes, premier geste de redistribution vers les nouvelles générations. « Ce premier geste de retransmission agit comme un prélèvement libératoire dans la mesure où il permet de redonner après avoir reçu[6] », montrant bien la signification de l'héritage. Ces biens ne viennent pas de nulle part, ils ne sont pas anonymes, ce sont des dons qui « doivent rester » dans la famille d'une manière ou d'une autre, parce qu'ils témoignent de l'existence d'un être cher, important pour soi. Ces biens hérités portent en eux la trace du défunt. On comprend que leur valeur dépasse largement la valeur économique et marchande. L'héritage, comme don, opère non seulement une continuité du passé au présent, mais les donataires à leur tour permettent le passage du présent au futur. Cette liberté dans la fidélité, qu'on s'autorise sur un bien patrimonial, est bien plus difficile à prendre quand il s'agit de transmission psychique – encore que… On est bien plus libre qu'on ne veut le croire.

L'origine en héritage ou les métamorphoses de la Petite Sirène

Bien sûr, l'origine est un héritage indéfectible – que l'on soit né à telle date, dans tel lieu, à telle époque, dans telle famille, dans telle culture, rien ne pourra jamais l'effacer –, et pourtant ce qui se présente comme quelque chose d'indélébile reste sans cesse à créer.

« D'où je viens », « qui je suis », « où je vais » sont des

questions fondatrices de notre subjectivité, mais « d'où je viens » renvoie surtout à une représentation de l'origine qui se transforme sans cesse au cours de notre existence. C'est dans ce mouvement même que l'identité s'organise. Et moins on fait de l'origine un point fixe, figé, fermé, plus l'identité s'étoffe et s'enrichit. Alors comment faire de l'origine un cadeau pour la vie plutôt qu'un fardeau encombrant ? Le conte de la Petite Sirène en dit long :

> Loin, très loin, dans les profondeurs de l'océan s'élève le château du roi de la Mer. Veuf depuis de nombreuses années, c'est sa vieille maman qui élève ses six petites princesses. La plus jeune est de loin la plus belle, elle a une voix exceptionnelle. On l'appelle la Petite Sirène.
>
> Mais elle est souvent rêveuse et triste, elle passe son temps à admirer la statue d'un jeune humain, statue échouée là, à la suite d'un naufrage. Elle adore écouter sa grand-mère parler du monde des humains. « À quinze ans, tu auras la permission de monter à la surface. » La Petite Sirène ne cesse de poser à sa grand-mère des questions bizarres : « Est-ce que les humains meurent, et que deviennent-ils après leur mort ? » Et sa grand-mère inlassablement répond : « Les hommes meurent, et ils vivent moins longtemps que nous. Nous, nous vivons trois cents ans, et à notre mort nous nous perdons dans l'écume de la mer, rien ne reste de ce que nous fûmes ; nous n'avons pas même une tombe parmi ceux que nous aimons. Tandis que les hommes ont une âme éternelle et, à leur mort, elle s'élève dans le royaume des cieux. Royaume que nous ne pourrons jamais connaître.
>
> – Ne puis-je rien faire pour gagner une vie éternelle ? » demande alors la Petite Sirène. Et la grand-mère finit par lâcher les paroles fatidiques : « Non, à moins qu'un homme ne t'épouse. Mais cela n'est pas possible, car les humains

n'aiment pas notre queue de poisson, ils ne savent pas ce qui est beau, ils préfèrent ces espèces de colonnes qu'ils appellent jambes ! »

Au fur et à mesure que ses sœurs atteignent leur quinzième année, et qu'elles découvrent le monde du dessus, l'impatience de la Petite Sirène grandit. Vient alors son tour. Elle est émerveillée, et encore davantage quand elle voit s'approcher un magnifique navire. On y donne une fête en l'honneur d'un jeune prince. À ce moment-là, son cœur est bouleversé : ce prince ressemble tellement au beau visage de la statue. Il existe donc vraiment. Tout à son admiration, elle n'entend pas l'orage gronder. Le navire est brisé, à peine a-t-elle le temps de sauver le prince. Dès lors, elle ne cesse de penser à lui. Mais comment se faire aimer de lui ? Comment devenir femme ?

L'horrible sorcière aura peut-être une idée. « Oui, lui dit celle-ci, je peux te donner des jambes, mais sache qu'à chaque pas tu souffriras comme si la lame d'un couteau te transperçait les os, mais tu garderas ta grâce et ta beauté. » La Petite Sirène hésite à peine quelques instants, et accepte. « Oui, ma petite, mais ce que tu me demandes a un prix… mon salaire, ce sera ta voix merveilleuse : je te donne des jambes mais je te coupe la langue. » Là encore quelques secondes d'hésitation mais le marché est conclu. Et la petite sirène perd à tout jamais sa voix.

Arrivée sur terre, elle rencontre le prince, qui tombe sous son charme. Il trouve une ressemblance avec celle qui l'a sauvé, sauf qu'il lui manque cette voix si particulière. Muette, elle ne peut rien expliquer… Ils deviennent amis, partagent de merveilleux moments, mais c'est avec une autre qu'il se marie. La Petite Sirène doit donc mourir, mourir comme les sirènes, c'est-à-dire en devenant écume.

Au moment de sombrer, elle ne comprend pas tout de suite ce qu'il lui arrive. Elle se sent devenir légère, si légère…

Quand elle ouvre les yeux, elle est entourée par des milliers d'oiseaux pépiant joyeusement. « Nous sommes les filles de l'air, lui disent-ils. Nous avons vu la grandeur de ton être, et auprès de nous tu pourras gagner une âme. Une nouvelle chance t'est accordée : dans trois cents ans, tu pourras entrer au royaume céleste. » L'une d'elles murmure à son oreille : « On peut même y entrer plus tôt. À chaque fois que nous rencontrons un enfant sage, notre épreuve se raccourcit d'un an... mais si au contraire nous trouvons des enfants méchants, cela ajoute une journée à notre temps d'épreuve... »

Et la Petite Sirène s'envole, joyeuse comme elle ne l'a jamais été vers les nuages roses. Elle se sent enfin en harmonie. Elle est chez elle parmi les filles de l'air.

Tout d'abord, ce conte illustre le fait que la filiation biologique ne détermine pas le destin d'un enfant. La Petite Sirène ne se sent pas totalement fille de la mer/mère, pas totalement chez elle parmi les sirènes. Il ne suffit pas de naître quelque part pour se sentir appartenir à ce lieu. La réalité biologique, aussi irréductible soit-elle, ne saurait contenir la « vérité » d'un sujet. Un être déborde, dépasse toujours cette donnée première. La filiation n'est peut-être qu'un processus d'affiliation. En parodiant Simone de Beauvoir, on pourrait dire « on ne naît pas fils/fille de..., on le devient ». La filiation, ce n'est peut-être que la résultante d'un processus complexe d'affiliation, impliquant tout à la fois le biologique, l'affectif, le symbolique, l'éthique, le juridique, le culturel, le religieux, le politique, et bien d'autres choses encore. On existe dans une succession d'origines. L'originaire est de l'ordre du pluriel et bien sûr du complexe.

La transformation de ce qu'on reçoit en héritage suppose

des pertes. À quinze ans, poussée par ses désirs, la Petite Sirène décide de changer de monde. Elle renie dans son corps ses origines. Devenir femme l'oblige à quitter définitivement le monde et le corps des sirènes. Elle renonce à ce qu'elle était pour accéder à ce qu'elle voudrait être. Cela ne peut se faire que dans la traversée de pertes, de deuils et de trahisons nécessaires. Pour grandir, peut-on ne pas trahir ? La trahison est passage, transition, elle fait partie intégrante de l'évolution.

Les filles de l'air l'ont reconnue comme une des leurs, et elle-même se sent tout à fait appartenir à ce groupe avec lequel en apparence elle n'a rien en commun. Mais en y regardant de plus près, elles ont en partage une représentation du monde, une certaine vision de la vie, un imaginaire, des projets qui les réunissent. Pour la Petite Sirène et les filles de l'air, la vie a un sens.

Ce ne sont pas les liens de sang, ni la couleur de la peau, qui forgent le processus d'affiliation, c'est l'inscription d'un individu dans un ordre social donné qui fait de lui un être humain pouvant se reconnaître comme tel. Ce sont les règles, les valeurs, la confiance partagée au gré des jours qui inscrivent un individu dans une famille. Entre les filles de l'air et la Petite Sirène, il y a eu une véritable rencontre. Elles se sont reconnues mutuellement, non seulement dans ce qu'elles étaient mais plus encore dans ce qu'elles pouvaient devenir chacune et ensemble. S'est mis en place le niveau 3 de la reconnaissance.

Le regard qui m'institue comme sujet me projette dans mon devenir, et ne m'enferme ni dans mon passé ni dans mon présent. Tout au long de la vie, les origines sont un héritage que l'on peut travailler, pétrir sans cesse. Grâce à ce travail sur son héritage, le monde n'est plus quelque chose qui s'impose, générant incompréhension et inquiétude, il devient aussi le produit de l'esprit, il se soumet aux représentations du sujet, qui lui imprègne sa forme, sa vision, ses significations. Les origines se trouvent être au croisement de la réalité interne et de la réalité externe. Elles ne nous déterminent pas autant qu'on le pense. Elles sont, certes, constituées d'éléments indélébiles – mais pour autant elles ne constituent pas un destin inéluctable, loin s'en faut ! Si elles conditionnent, elles n'enferment pas. Si elles limitent, elles peuvent être largement dépassées.

Les origines singularisent un individu à partir du moment où il les reconnaît, les ignore, les renie, les transmet, les oublie. Il faut s'autoriser à les bousculer, voire à les trahir, pour mieux les respecter.

C'est le propre d'un héritage : aucun membre d'une même famille ne reçoit de la même manière ce qui a été transmis, aucun ne fait le même travail. C'est ce qui nourrira certains règlements de comptes dans les fratries. Mais nous n'en sommes pas encore là.

Nous sommes partis des héritages les plus explicites, les héritages patrimoniaux, pour aller vers les héritages qui semblaient à première vue les plus irréductibles. À présent abordons les héritages les moins perceptibles, les plus inconscients, ceux que l'on se transmet quelquefois de génération en génération, sans même s'en rendre compte[7]. Implicites, inconscients, ils se manifestent souvent à travers des symptômes qui représentent quelquefois des « chances », des bonnes occasions de changer.

Dans ces transmissions inconscientes, il y a des secrets de famille, des traumas, des non-dits, des « trous de mémoire », c'est-à-dire des ruptures dans les chaînes de transmission à la suite de drames vécus et indicibles. Une perte non traitée de génération en génération, une malédiction à racheter, des fantômes à enterrer… cela se transmet à notre insu : par les mots, les silences, les gestes, le corps, le langage analogique, les émotions, les mythes, les contes, les récits, notre propre manière d'être, les jeux relationnels.

Souvent, c'est un enfant qui est surinvesti, chargé de réparer l'irréparable, tel l'enfant imaginaire de la Shoah qui renaît des cendres des disparus sans sépulture. L'enfant réel est alors idéalisé, surprotégé. Mais un abîme sépare l'hyperprotection et la protection réelle. Le surinvestissement est la voie royale de la transmission du traumatisme. On y entretient la position de victime, l'enfant s'y place par identification aux parents.

Le passage de relais du mandat générationnel s'effectue essentiellement par le biais des projections parentales. Les représentations transmises contribuent à préserver le statu quo du système, en conséquence de quoi l'enfant n'a aucune prise sur l'histoire. Le fait que certains enfants y soient plus réceptifs que d'autres reste un mystère.

Certaines situations d'immigration opèrent une rupture dans les transmissions. L'enfant né sur la terre d'accueil aura tout à inventer, au risque de devenir un étranger inassimilable à sa propre famille et lignée. Il reçoit souvent le double message paradoxal : « Intègre-toi, mais reste semblable à nous. » Dans les familles, il y a comme une ligne de partage symboliquement forte entre ceux qui sont nés ici et ceux qui sont nés là-bas. L'ailleurs est perdu, l'ici n'est autorisé souvent qu'au prix de déloyautés et de trahisons envers les ascendants. Pour grandir, l'enfant migrant est souvent inscrit dans un clivage entre le monde de la culture familiale et le monde du dehors, celui de l'école et des apprentissages. L'affect demeure arrimé au monde familial, l'accès à la symbolisation, au savoir, appartient à l'école. Qu'est-ce qui est non intégrable pour ces enfants-là ? Entre autres, le vécu du trauma des parents. À travers leurs silences est transmise leur souffrance, leur détresse. Dans l'impossibilité fréquente de pouvoir parler du temps, du lieu d'« avant », passe le vécu insoutenable, inénarrable de la déchirure portée par l'exil. « Mon corps est ici, mon cœur est là-bas, mais je ne peux rien en dire. » Le trauma est ineffable et les parents deviennent détenteurs d'un savoir inaccessible, impossible à verbaliser. Dans ce qui demeure indicible est pourtant véhiculé l'affect de la perte, perte du sol premier. On se sent entre deux rives, deux lieux, deux langues. Aucun pont ne paraît possible. Tout semble clivé. Le jeune cherche alors un site pour s'inscrire, un sol pour exister, un territoire pour assurer ses pas et son identité. Et n'a d'autre issue que de trahir. De la trahison au pardon, peut-on en finir avec les règlements de comptes en famille ?

De la trahison au pardon

Mathieu, joli bébé de huit mois, a de l'eczéma. Caroline, sa maman, pressent bien que cette affection est liée à un problème psycho-affectif. Elle consulte donc. Et elle raconte...

Après plusieurs avortements, elle a fini par garder ce bébé. Mais aussitôt enceinte, elle se sépare de son ami, sous prétexte qu'il n'est pas prêt à être père. Elle n'est d'ailleurs qu'une mère supplémentaire sur la liste des mères seules de sa famille. Caroline garde de son père un vague souvenir. Il n'y a pas une photo de lui chez sa mère. Elle n'a jamais osé poser de questions. À chaque tentative, sa mère pleurait, se mettait en colère contre tous les hommes de la terre, qui « ne sont capables que de laisser tomber les femmes, ne sont que des lâches, des imposteurs, abandonnent leurs enfants ». Ce qui est une bonne manière de couper court à toutes questions qui auraient permis à Caroline d'en savoir un peu plus sur ce père absent et diabolisé. Selon la version officielle, il est parti sans jamais chercher à prendre des nouvelles de sa fille et encore moins à la voir. Hasard ou non ? Peu de temps avant d'être enceinte, Caroline apprend que son père vient de décéder. Elle l'apprend de celle qui fut sa deuxième femme. Et tout un pan caché de son histoire se dévoile alors.

Cette femme lui explique que son père n'a cessé de tenter de prendre contact avec elle, que sa mère a tout intercepté – lettres, cadeaux… Qu'il aurait voulu la voir, lui présenter ses demi-frères et sœurs, mais que rien n'a pu franchir la farouche barrière maternelle. A posteriori, bien des cachotteries de sa mère, incompréhensibles sur le moment, prennent un sens. C'est peu dire que bien des choses se bousculent alors dans sa tête.

Caroline a fait ce récit d'une voie monocorde, douce, presque de petite fille. Mathieu jouait tranquillement sans se préoccuper de sa mère. Tout à coup, sa voix change, et tout son corps se fait colère : « Je veux que cela cesse. Je veux donner un père à mon enfant ! » Le ton est radical, définitif, affirmé. Mathieu suspend quelques secondes son jeu, la regarde intensément, comme pour lui dire : « Je ne t'ai jamais entendue parler comme ça ! » Caroline lui répond par un regard tendre et rassurant, puis lui parle avec beaucoup de douceur : « C'est fini de bannir les hommes dans cette famille ! » Cette jeune mère vient de prendre conscience qu'elle a été élevée dans la haine, le rejet, la méfiance et la disqualification systématique des hommes. C'est comme si les femmes de cette famille se transmettaient – implicitement – de mère en fille la mission d'éliminer les hommes, d'élever les enfants sans père. « Finalement, mon père, que je n'ai pratiquement pas connu, m'a laissé l'amour en héritage. J'ai découvert tout ça à sa mort, comme si certaines personnes pouvaient davantage nous aider une fois mortes. Il m'a transmis quelque chose de très précieux : que l'amour, d'une certaine manière, pouvait être plus fort que la mort. »

Nous sommes tous chargés d'une mission, quelle qu'elle soit, plus ou moins contraignante, avec des conséquences de gravité variable. Ce qui est considéré comme un destin n'est quelquefois qu'un mandat transgénérationel, très efficient, et qui se transmet, mine de rien, par projections et identifications. Ici la mission est venue se heurter à l'existence de Mathieu. La naissance de ce petit garçon a placé Caroline dans un conflit de loyauté qui pourrait s'énoncer de la manière suivante : « Si je continue à être loyale aux femmes de la famille, je fais prendre des risques à mon fils, qui est un homme en devenir. Si je suis loyale envers lui, je désobéis, je trahis la mission familiale. » Elle a choisi la trahison non sans mal.

Quoi qu'on fasse, on trahit[8]. L'éthique ne se réduit pas à la question « Faut-il ou non trahir ? » mais elle répond à une autre : « Entre trahir ma mère et la mission transmise ou trahir mon fils, que choisir ? » Entre répéter un passé et ouvrir un avenir, on peut choisir une trahison plus libératrice qu'une autre. Sans trahison, certaines situations ne cessent de se répéter. Ainsi toutes les trahisons n'ont pas le même sens : il y en a de bénéfiques et d'autres de destructrices.

Chaque génération peut produire des trahisons, comme en dépasser. Exister, c'est transformer sans cesse le déterminisme de ses héritages en futur à inventer. Naître nous inscrit dans un système d'obligations envers la famille. Grandir implique la refondation incessante de ce système d'obligations. La capacité à transformer les images du passé, à ne pas les figer et à y introduire de la mobilité, de la plasticité permet de s'ouvrir véritablement au potentiel du présent. C'est pourquoi les contes participent à transformer les comptes.

Le changement peut-il faire l'économie de la trahison ? Trahir, c'est briser l'horizon donné, c'est une aventure toujours douloureuse qui parle d'une liberté humaine sans cesse à conquérir. Entre innovation et immobilisme, entre conservatisme et changement, la trahison tisse la trame de l'histoire tant individuelle que sociétale. Elle est ce geste qui inlassablement oppose fidélité et mutation. Est-il vraiment possible de sortir de cette dialectique ? La trahison met en évidence ce moment particulier où le sens se perd, mais aussi où il peut se refonder autrement. Trahir, oui, mais à condition de se reconnaître comme traître, d'assumer pleinement sa responsabilité, de savoir la souffrance faite à l'autre.

L'éthique serait ainsi cette conscience toujours renouvelée qui permet de mesurer que le traître est d'abord en soi, au cœur de notre pensée, de notre parole, de notre connaissance. La conscience de notre vulnérabilité qui fait de nous des hommes, des femmes fragiles qui se croient puissants. Rester vigilant à cet affleurement de la trahison peut la rendre moins tragique à force de la savoir imminente. Peut-être devenons-nous sujets quand nous mesurons précisément qu'elle est toujours virtuellement présente dans toute relation interpersonnelle, et qu'elle fait inexorablement partie de nous.

Après les processus de reconnaissance, après les colères

face aux manques, les révoltes, après les trahisons, peut venir alors le temps du pardon, véritable aboutissement d'un long cheminement.

Tous des Petit Poucet ?

Il était une fois un bûcheron et une bûcheronne qui avaient sept garçons, et vivaient misérablement au fond de la forêt. Un jour, le bûcheron dit à sa femme : « Nous ne pouvons plus nourrir nos enfants, il va falloir les abandonner. » Le manque est une réalité poignante quotidienne dans la famille miséreuse du Petit Poucet. Et la perte s'impose très vite aux parents, la perte la plus douloureuse qui soit : avoir à abandonner ses enfants.

Mais le Petit Poucet veille. C'est le petit dernier, et le manque, il le vit encore plus péniblement que les autres : chétif, il est le souffre-douleur de la famille ; encore moins de pain, encore moins d'amour que les autres. Alors que les parents sont en train de préparer la terrible exécution de ce maudit plan, le Petit Poucet entend ce qu'il n'aurait pas dû entendre. Il fait alors provision de petits cailloux blancs…

Nous connaissons la suite. Grâce à l'astuce des petits cailloux, les enfants retrouvent leur chemin. De retour à la chaumière familiale, les enfants connaissent quelques moments de répit, l'argent refait en effet son apparition… Mais, la nourriture manque de nouveau. De nouveau les parents décident de perdre leurs enfants ; de nouveau le Petit Poucet entend tout. Mais là il fait provision de miettes de pain… les oiseaux n'en font qu'une bouchée…

Cette fois-ci, les voilà totalement perdus. Les frères du Petit Poucet ne cessent de pleurer, ils hurlent leur douleur, dans des lamentations et plaintes interminables. Pendant ce temps le Petit Poucet monte dans un arbre. Il scrute l'horizon, et aperçoit une chaumière. L'espoir renaît. Il y conduit la fratrie, espérant trouver refuge. Mais une fois arrivés, ils déchantent. Cette demeure n'est autre que celle de l'ogre. Avec la complicité de l'ogresse, ils peuvent cependant se restaurer et se reposer quelque peu.

Là aussi le Petit Poucet, dans sa capacité d'anticiper, met au point un scénario pour tromper l'ogre qui, ayant senti la chair fraîche, ne désire qu'une chose : les croquer. Le Petit Poucet profite du sommeil des filles de l'ogre pour prendre leurs habits et leurs places dans le lit. Grâce à cette ruse, à l'aube, pour son petit déjeuner, l'ogre dévore en fait ses propres enfants, croyant avaler les enfants perdus…

Une fois sauvé, le Petit Poucet continue ses stratagèmes. Il parvient ainsi à récupérer des mains mêmes de l'ogresse toute l'immense fortune de l'infâme personnage. Non content de l'avoir dépouillé et délesté de son argent, il lui vole ses fameuses bottes de sept lieues. Il finit par neutraliser l'ogre. Il reçoit, en guise de récompense, de la part du roi une reconnaissance sonnante et trébuchante. Bref, il sort de sa noire misère. À ce moment-là, en « bon fils », il se souvient de ses parents et leur donne les moyens de vivre désormais dans la décence, dans la dignité.

Ce conte me semble poser des questions utiles à notre réflexion : comment dépasser le manque, la perte ? Comment se reconstruire après ? Quels sont les ressorts de l'espoir et des forces de rebond ?

1. Les petits cailloux. On pourrait l'intituler : « accéder au réel de la perte ». Le Petit Poucet connaît le plan de ses parents. Il aurait pu se battre, se débattre, se sauver. Non, au contraire il se laisse être perdu. Ce qui n'est ni plus ni

moins une manière d'accepter le réel de la perte. Avec la métaphore des petits cailloux, on voit combien ce réel de la perte s'articule avec le travail sur le lien. Car la chose perdue n'entraîne pas la disparition du lien, loin s'en faut. Ce lien se transforme, s'amplifie du fait même de l'absence. Comme la douleur d'un membre fantôme en cas d'amputation, ce qui n'existe plus continue de nous habiter. La présence de ce qui est absent est lancinante et constitue le fond de la plainte. Le souvenir soutient la présence de l'absent. Les petits cailloux symbolisent sans doute la trace de ce lien. Quelque chose existe encore entre les parents et les enfants. Même fragile, ténu, l'espoir consiste ici à retisser le lien. Illusoire ?

2. Les miettes de pain. On pourrait l'intituler : « le monde se vide de sens ». « Un seul être nous manque et tout est dépeuplé », disait le poète. À partir du moment où les miettes sont englouties par les oiseaux, le lien est totalement perdu. La perte est ici irréversible. Plus de retour en arrière possible, tous les repères anciens sont dissous, le vide est total, et la vie ne fait plus sens. Perdre l'autre, c'est plus que cela, c'est perdre une partie de soi. La perte touche ce que nous sommes, elle nous transforme radicalement. Nous ne sommes plus après les expériences de perte ce que nous étions avant. Et cette perte de soi est sans doute une des choses les plus difficiles à intégrer.

Que faire ? Les frères s'abîment dans la mélancolie. Ils n'ont pas encore accédé au deuil, encore moins au deuil du malheur. On sait combien il est difficile de quitter sa plainte, qui finit par devenir une compagne fidèle et encombrante. Le Petit Poucet, lui, tente d'aller au-delà de l'horizon de sa souffrance. Il prend de la hauteur. L'espoir vient d'un ailleurs, d'un là-bas inconnu et difficile d'accès, d'une terre étrangère, d'une altérité. L'espoir s'inscrit dans la capacité à sortir du même, à s'ouvrir à tout ce qui est autre. Mais ce n'est pas sans risque.

3. L'épisode de l'ogre. On pourrait l'intituler : « affronter le risque de sa propre mort, de sa propre perte ». Ici, le Petit Poucet affronte effectivement le risque physique de sa propre mort, du coup il va en ressortir plus fort. Le dépassement de cette peur lui permettra de vivre créativement. Mais sur le chemin de la reconstruction, il a aussi affronté une autre perte. Le Petit Poucet s'y lance complètement, pour se sauver et sauver ses frères, il en passe par une véritable perte d'identité : il prend la place des filles de l'ogre, c'est-à-dire qu'il abandonne, pour un temps, son ancienne filiation, il abandonne son identité sexuelle, il abandonne son sens moral pour devenir voleur. Comme dans un processus de mue, de mutation, il ne renaît qu'en acceptant la perte de ce qu'il fut. In fine, il augmentera encore plus sa force et sa valeur morale, puisqu'il ira jusqu'au pardon envers ses parents, mais il aura fallu qu'il traverse ces profonds bouleversements intérieurs. Tout se passe comme si le moi ne pouvait se trouver qu'en se perdant. Être soi suppose et implique une mobilité, un déplacement ontologique incessant. L'homme n'est pas : il est en devenir incessant. Il n'existe que dans l'émergence de figures nouvelles, dans une altération constante de soi-même.

Tout le paradoxe de l'humain se dévoile dans ce conte : on ne se trouve qu'en étant toujours autre. Pour exister dans sa dignité d'être vivant, il faut sans cesse se défaire de ce qu'on est, en éprouvant quelque chose de l'ordre d'une non-coïncidence à soi-même, douloureuse certes, mais féconde. L'homme n'est pas un, il est de l'ordre du multiple. « Exister », nous dit Levinas, c'est briser l'unité, la totalité.

Ne pas être adéquat à son image, briser l'enfermement de la fidélité à soi-même, c'est refuser sa finitude. Cette conception nous amène à réviser notre illusoire et frileuse volonté d'être fidèle à soi-même. Car nous ne sommes jamais tout à fait identiques à nous-mêmes, on est amené toujours à trahir peu ou prou une partie de soi-même, une étape de sa vie.

4. Ce qu'on pourrait intituler : « le pardon » – il faut bien une *happy end*. En quoi consiste-t-elle ? Étymologiquement, *pardonner* vient de *per donnare*, qui signifie *donner totalement*. Par extension : *pardonner* veut dire *ne pas tenir rigueur*. En grec, *pardon* signifie *amnistie*, *annulation des poursuites*. Il ne s'agit ni de dénier la souffrance ni d'annuler la faute, mais de considérer que l'autre n'est pas enfermé dans ses erreurs.

Le Petit Poucet n'a pas reçu et cependant il donne. Il avait peut-être lu Spinoza : « Le sage comprend le mal, mais n'a rien d'autre à lui opposer que sa propre liberté. » Le Petit Poucet se montre très sage, parce qu'il est très libre. Face au malheur éprouvé dans son enfance, il a choisi la liberté, non la plainte ou les regrets. Il est libre, déjà parce qu'il ne se résigne pas ; il se révolte au sens premier du terme, c'est-à-dire qu'il donne un autre tour à son existence. Il est libre parce qu'il ne se laisse pas enfermer dans les actes aussi destructeurs soient-ils, et ils n'enferment pas les autres dans leurs actes. Il ne perd pas son temps à en vouloir aux uns et aux autres. Il ne leur en veut pas de ce qu'ils sont, de ce qu'ils font et, du coup, il leur permet d'être autre. Il n'attend pas réparation de la part de ses parents, il ne s'installe pas dans une position de victime ou de revendication. Au contraire, il choisit de devenir acteur d'une histoire qui a plutôt mal commencé. Il reprend la main. Ce faisant, il réintroduit une dynamique temporelle.

Sa liberté a servi d'écrin au pardon. Il a commencé à transformer sa vie librement, efficacement, du coup il peut ensuite pardonner. Transformer ses héritages est un acte de liberté qui peut introduire au pardon. Le pardon, selon Hannah Arendt, lutte contre l'irréversibilité du temps. Il permet de réintroduire de l'être, du temps, de l'histoire, il réintroduit du mouvement, du jeu dans la relation. Pardonner permet de se reconstruire non pas en effaçant la faute, le mal, ni en faisant comme s'ils n'avaient pas existé, mais en considérant qu'autre chose peut exister malgré le malheur. Il nous appartient de faire en sorte que les « galères » n'envahissent pas toute notre vie. Pour Ricœur, il faudrait pouvoir pardonner comme si Dieu n'existait pas. C'est vraiment une histoire d'homme à homme. Le pardon permet d'instituer une rencontre éthique de deux visages qui se reconnaissent dans leur dignité respective, c'est-à-dire dans leur liberté.

Pardonner, c'est apurer les comptes insolvables. Quelquefois, pardonner ce qui est impardonnable peut prendre plusieurs générations. C'est un processus qui permet de tirer un trait, de mettre un terme, de tourner une page noire de l'histoire personnelle ou familiale, en acceptant que rien ne pourra vraiment compenser, réparer le préjudice subi.

Alors, pour se reconstruire après des pertes, rebondir malgré les manques, est-ce à dire qu'il faut tous être des Petit Poucet, commencer sa vie par le dénuement ? Sans aller jusque-là, ce conte ne met-il pourtant pas en évidence de manière métaphorique le manque inéluctable de notre condition d'humains ? Ne sommes-nous pas en fait impliqués dès le début de notre existence dans des processus de deuils, de pertes, quel que soit ce que nous avons reçu ? L'accepter nous permet de savourer chaque jour les cadeaux que la vie nous fait.

Cette réflexion sur les règlements de comptes a mis au jour les questions fondatrices de l'individu en tant que sujet responsable et moral.

> « Je me suis construite sans mes parents, est-ce que je leur dois quelque chose ? »
>
> « Petit à petit, je me suis détachée d'eux, mais en même temps, c'est sûr, le jour où ils seront vieux je ne les laisserai pas tomber. »
>
> « Mes parents, c'étaient des enfants quand ils m'ont eue, j'ai grandi seule, ce n'est pas grâce à eux que j'ai réussi ce que j'ai réussi, ils ne m'ont jamais fait confiance, parce qu'ils n'avaient même pas confiance en eux. Je ne leur en veux plus, mais je les vois de moins en moins. En même temps, je les appelle régulièrement pour savoir s'ils ont besoin de quelque chose, il n'est pas question que je les abandonne. »

La corde familiale étant constituée de plusieurs fils, selon les étapes de la vie, on peut la tisser autrement sans forcément la casser totalement. On peut, comme le Petit Poucet, pardonner même si on a été dans le manque, on peut donner sans avoir reçu soi-même, on peut aimer ses parents sans leur obéir, on peut transformer un héritage sans oublier ses devoirs filiaux, on peut prendre de la distance tout en respectant ses parents. Les fibres de la corde correspondent à des niveaux différents : affectif, symbolique, éthique… qui peuvent se travailler séparément. Plus on distinguera les fibres, moins on s'emmêlera dans les comptes générationnels, et plus on sera ouvert à ce que peuvent nous apporter les autres liens.

6

« Tenir compte » de l'autre

Entre frère et sœur, on n'arrête pas de compter

« C'est toujours lui qui a le blanc de poulet ! C'est pas juste ! »

« Son cadeau, il est plus beau que le mien ! »

« Elle a eu plus de bonbons que moi ! »

« C'est toujours sur moi que ça retombe ! »

« Il n'est jamais puni ! »

« C'est elle qui a commencé ! »

Disputes inévitables qui, dans une certaine mesure, sont utiles et nécessaires à la construction même du lien fraternel. Les parents n'ont pas à se sentir coupables car ils ne sont pas forcément en cause. Même s'ils ont un rôle central, ils ne peuvent pas toujours empêcher les enfants de se déchirer.

La relation dans la fratrie est placée, d'emblée, sous le signe des comptes. Et ça n'en finit pas. Les moments de complicité n'empêcheront pas les enfants de comparer : qui est le plus fort, le plus beau, de mesurer qui est le plus malin ou qui a reçu le mieux. Et quand les relations semblent apaisées, ces comptes restent gravés dans la mémoire des frères et des sœurs devenus adultes, prêts à resurgir au moment des successions par exemple.

Les comptes ne sont pas forcément sanglants, ni dramatiques, mais ils se situent spontanément dans le registre du donnant-donnant (« Je veux comme lui ») et du « œil pour œil, dent pour dent » (« Il m'a frappé, je lui ai fait pareil »). Le règlement de comptes apparaît aux enfants comme le moyen le plus immédiat pour « se faire justice ». Par peur d'avoir moins que l'autre, on cherche à avoir plus.

Parce que la fratrie se constitue à partir d'un vécu douloureux de perte ou de manque, les comptes lui sont intrinsèques. Imagine-t-on ce que vit un(e) aîné(e) à l'arrivée du second enfant ? Il (elle) était au centre, le point de convergence des regards des parents, grands-parents, l'objet d'un amour inconditionnel, de toutes les attentions. Avec l'arrivée du second, les regards se détournent, les soins se répartissent, de manière inégale puisqu'un bébé a la fâcheuse habitude de manger toutes les trois heures, et que l'aîné doit se tenir « comme un grand ». Quand on connaît l'importance du regard parental dans la construction d'un enfant, on mesure quelle perte d'étayage cela représente pour l'aîné.

L'arrivée du second entraîne un profond sentiment de perte affective, et constitue une menace existentielle très forte : « Vais-je continuer à exister pour mes parents, vais-je continuer à être important pour eux ? » Avec la peur de compter pour zéro, d'autant plus quand, du fait de la faible différence d'âge entre les enfants, l'aîné n'a pu intégrer suffisamment d'assurance. Tous les moyens sont bons alors pour avoir le sentiment d'exister, même les plus négatifs.

> « À la naissance de ma petite sœur, j'ai longtemps fait le pitre, au point de recevoir des fessées de mon père parce que je faisais bêtises sur bêtises ; en fait, je voulais attirer l'attention, comme pour dire : ne m'oubliez pas. Il m'a fallu du temps pour comprendre que ça se retournait contre moi. »

L'aîné éprouve aussi une perte narcissique. Ce bébé qui trône dans les bras de maman, qui la comble, suscite en lui de la jalousie, peut-être même de la haine, voire des pulsions destructrices. Comme il était bon le temps où il (elle) n'était pas là ! Se pourrait-il qu'il (elle) disparaisse comme il (elle) est venu(e) ? Ses bons sentiments sont mis à l'épreuve par ce petit bout de rien. Le grand, si gentil auparavant, se découvre méchant, hargneux, violent, jaloux... et se fait peur à lui-même. Telle est, très schématiquement, la tempête intérieure que vit l'aîné. Alors, pour se rassurer, se consoler, sa première réaction consistera à garder ses prérogatives sur ses jouets, sur sa chambre. En ne cédant rien, en ne prêtant pas, il défend son territoire à lui, seul point d'ancrage qui lui paraît stable. Mais cette position défensive n'est pas très confortable.

Le cadet n'est pas en reste. Avoir toujours devant lui cette statue quasi indéboulonnable du grand qui décidément sait faire tellement plus de choses, qui est en avance, qui a connu l'amour exclusif des parents, et ne se gêne pas pour le claironner fortement, ce n'est pas facile. Le cadet à qui il manquera toujours ces quelques années risque de se construire sur une faille narcissique face à un aîné donné en exemple. De quoi se sentir « nul ». Il aura beau faire, être bientôt le meilleur sur bien des plans, il restera toujours le « petit ». Pour exister, il lui faudra faire sa place auprès d'un aîné qui lui fait si bien sentir qu'il est en trop. L'enjeu pour le cadet, c'est de dépasser la culpabilité d'exister et d'affirmer son droit à l'existence.

Sandrine, quinze ans, a un demi-frère, Adrien, huit ans, fils de son père et de sa belle-mère. Ils s'entendent plutôt bien, la différence d'âge permettant à Sandrine de prendre une position protectrice, qui convient à tout le monde. Il n'empêche qu'au fond d'elle, elle l'envie, son frère : il a la chance de vivre avec ses deux parents. Elle a toujours le cœur tiraillé. Quand elle est chez sa mère, son frère lui manque, quand elle est avec lui, c'est sa mère qu'elle aimerait avoir auprès d'elle. Elle a toujours le sentiment qu'il lui manque une personne qu'elle aime, le sentiment que sa famille autour d'elle n'est jamais au complet, qu'elle est éclatée. Elle sait qu'elle ne peut rassembler les morceaux et cela lui fait du mal.

Le vécu de perte et de manque dans les fratries recomposées existe, ô combien, mais il n'est pas tout à fait du même ordre que dans les fratries de même lignée. L'arrivée d'un second signe définitivement la mort du couple parental. Il va falloir l'admettre. On peut en vouloir au nouveau venu de rendre si évidente cette perte définitive. Le fait pour un demi-frère, une demi-sœur de grandir auprès de ses deux parents crée un déséquilibre, signe une fracture interne à la fratrie, une ligne de démarcation qui restera parfois difficile à franchir.

Instituer une fraternité, c'est-à-dire une communauté unie, soudée, s'épaulant, se soutenant, suppose que chacun parvient à dépasser les premiers mouvements de rejet, d'agressivité, voire de haine. Le lien s'organise autour de la capacité des enfants à accepter les pertes et les manques. Quand ils y parviennent, alors ils peuvent accéder aux bénéfices du lien fraternel. L'art du fraternel consiste à transformer les « moins », les « négatifs » de cette situation, en « plus », en « positifs », dans une équation qui pourrait se définir comme « accepter de perdre pour gagner ». Encore un tour de passe-passe de l'arithmétique familiale. En effet, il ne suffit pas de naître frères ou sœurs, ni d'être élevé dans une fratrie recomposée pour éprouver de la fraternité.

« C'est ton fils qui a fait ça », « C'est encore à cause de ta fille… » Le frère, la sœur est d'abord l'enfant des parents avant d'être celui avec qui je peux créer une communauté. On peut passer sa vie à se côtoyer sans créer de véritable lien fraternel. Depuis la nuit des temps, le fraternel pose question. Les mythes fondateurs qui se font l'écho de crimes fratricides gardent une étonnante actualité et, sur un plan symbolique, sont très riches d'enseignement.

La dimension fraternelle n'est pas donnée d'emblée. Elle se tisse tout au long de la vie, est mise à l'épreuve ou bien se renforce autour d'événements importants, comme le divorce des parents, leur décès. Ce lien fortement idéalisé par la société et les parents est peut-être le moins évident des liens familiaux, bien qu'il soit celui qui, en général, dure le plus longtemps. Alors que gagne-t-on quand on finit par accepter les pertes et les manques ? Quand une fratrie s'entend, la vie se colore joyeusement. À deux, à trois, ou plus, on se sent plus fort, on s'ennuie moins, on joue plus. Il y a une saine émulation, c'est stimulant. On y apprend de nombreuses stratégies relationnelles, comme par exemple faire faire les bêtises à l'autre tout en passant pour l'ange de service. Tout le monde le sait.

Ce qu'on imagine moins, c'est que fraterniser, pacifier avec l'intrus, le gêneur, renforce notre propre identité. Car le frère, la sœur, c'est cette figure de l'« autre-semblable » qui nous révèle sans cesse à nous-mêmes. En tant que tel, il constitue une permanente remise en cause. Je l'envie ? C'est que j'aimerais être ce qu'il est et je n'y arrive pas. Je le déteste ? C'est que je vois en lui les mêmes défauts que les miens. Je l'attaque ? En détruisant le mauvais qui est en lui, j'imagine que je vais l'éliminer en moi. Accepter l'autre, c'est accepter la part sombre qui m'habite. Le frère, la sœur est un miroir peu indulgent dans lequel je découvre mes fragilités, mes faiblesses, mes impossibles, tout ce que je n'aime pas de moi et, en même temps, tout ce que j'aimerais être et que je ne peux pas être. Parvenir à accepter sa présence, c'est m'accepter moi-même. Fraterniser, c'est se réconcilier avec soi-même. Être en paix avec son frère, sa sœur, c'est être en paix avec soi-même.

Partager, acte fondateur du lien fraternel

Contrairement aux échanges entre parents et enfants, dans la fratrie ce n'est pas le don qui fonde le lien. Loin s'en faut, on est plutôt dans l'anti-don. Dans une fratrie, surtout au début, nul n'est dans le don. Plutôt dans le « Je garde pour moi, je prends à l'autre », dans le « Tout pour moi, rien pour l'autre ». Spontanément on ne tend pas la main, on ne l'ouvre pas vers l'autre : on ferme le poing, on ramène à soi. Au mieux, on se prête ce qui reste du temporaire, et qui permet de faire valoir son « titre de propriétaire » sur la chose prêtée.

La relation ne s'organise pas autour du cycle « donner-recevoir-rendre-transformer ». Elle va se structurer, ou non, autour d'un exercice imposé : partager ce qui est reçu, transmis par les générations précédentes. Frères, sœurs reçoivent plus ou moins équitablement de leurs parents. Il leur faut apprendre à partager ce qui est donné. La fratrie semble condamnée à partager pour s'entendre, sauf à s'entre-tuer. Dans les échanges intrafamiliaux, le lien fraternel s'élabore autour du cycle « accepter la perte-partager-s'entendre ».

Que le lien s'établisse autour d'une problématique du partage et non autour d'un système de dons a une conséquence importante : puisqu'il n'y a pas de dons, il n'y a pas de dettes, ni de loyautés s'imposant d'office. La loyauté à l'intérieur d'une fratrie reste tout entière à construire. Au démarrage, je ne dois rien à mon frère, à ma sœur, je ne lui dois ni la vie ni la transmission d'un savoir-faire… il, elle ne me doit rien non plus. Le simple fait de grandir au cœur d'une même histoire familiale n'implique systématiquement aucune loyauté réciproque dans la fratrie. Il ne s'agit pas de liens de filiation mais d'appartenance, qui peuvent se faire et se défaire au gré des alliances. Et il est illusoire de croire que les liens de sang suffisent à créer une alliance à toute épreuve. Que l'on soit nés d'une même mère, d'un même père ne garantit en rien la qualité du lien fraternel. On peut voir des fratries de même lignée s'entre-déchirer et des demi-frères et sœurs s'adorer. Nous ne sommes plus dans des cultures où les liens de sang priment et organisent les conduites autour, par exemple, de l'honneur de la famille vécue comme clan.

Et les liens de cœur ? Toute la question est de savoir si on est obligé d'aimer son frère ou sa sœur ! La question reste ouverte. Quoi qu'il en soit, même s'ils ont réussi à se tisser, les liens de cœur peuvent s'évaporer comme s'ils n'avaient jamais existé, face aux liens d'argent qui émergent notamment au moment des héritages, ou à l'évolution de chacun dans la vie. Le lien fraternel est très variable, moins structuré que le lien filial. Les droits et les devoirs qui l'organisent ne sont pas intrinsèques au processus d'échanges, et restent non seulement à édifier mais à renforcer toute la vie.

La mise en place d'une loyauté fraternelle est encore plus délicate dans les familles recomposées.

Cette fratrie est constituée de trois enfants d'unions différentes : Pierre, vingt ans, l'enfant du papa et de sa première femme ; Claire, quinze ans, fille de la maman et de son premier compagnon ; Vanessa, douze ans, l'enfant du couple actuel.

Entre Vanessa et Pierre, tout se passe plutôt bien. Ils sont complices, on sent que Vanessa trouve auprès de lui du réconfort, de l'apaisement. Et pour Pierre, sa petite sœur introduit de la gaieté, de la légèreté dans une situation familiale qui n'a pas été simple à vivre pour lui. Entre les deux filles, les relations sont depuis toujours très tendues, il y a entre elles beaucoup de rivalité.

Claire adore son père chez qui elle est en résidence alternée. Il vit avec une femme jeune, plutôt sympa, il n'y a pas d'autres enfants chez lui. Claire n'a rien à partager avec quiconque. C'est chez lui et avec lui qu'elle se sent vraiment chez elle. Autant elle s'entend avec sa belle-mère, autant elle a du mal avec son beau-père. « D'abord, t'es pas mon père, tu n'as rien à me dire », lui rétorque-t-elle souvent. Si par malheur sa mère se permet de faire une réflexion sur son père, « il te laisse faire trop de choses » par exemple, elle ne la loupe pas. Claire défend son père toutes griffes dehors. Elle est très loyale envers lui.

Mais au nom de cette loyauté, elle ne peut se reconnaître complètement comme la « sœur de la fille de sa mère » : ce serait dans une certaine mesure trahir son père. Fraterniser avec sa demi-sœur, en faire une alliée, ce serait désavouer la proximité qu'elle a envie de défendre avec son père. Être trop complice avec Vanessa serait renforcer sa filiation maternelle dans laquelle elle ne se reconnaît pas vraiment. Demi-sœur lui suffit amplement !

Partager la même chambre, soit, puisque je n'ai pas le choix chez ma mère, certains jeux, pourquoi pas, mais comme nous n'avons pas le même père, ça n'ira pas plus loin. Dans les fratries recomposées, des loyautés divergentes peuvent entraver le processus. Une trop grande fidélité à l'origine peut faire barrage au partage qui n'est décidément pas un geste spontané. Quel rôle les parents ont-ils dans cet apprentissage du partage ?

Nous connaissons tous l'histoire d'Abel et Caïn, mais nous ignorons souvent que leur conception est déjà un prélude au crime. Dans une traduction littérale, voici ce que dit le texte : « L'homme Adam connut sa femme Havah (Ève). Elle conçut et elle engendra Qaïn. Et elle dit : "J'ai acquis (*qaniti*) un homme grâce à Dieu." Et elle ajouta d'enfanter son frère Abel », ce qui peut être traduit : « elle enfanta ensuite son frère ».

En très peu de mots, le contexte est posé. Adam est relégué au rang de géniteur. Serait-il le premier donneur de sperme de l'histoire ? En tous les cas, il n'existe pas comme père. Ce qu'il se passe entre Caïn et Abel ne le concerne pas, qu'ils se débrouillent avec leur mère, ce sont ses fils à elle !

Dans cette première famille mythique, le père est en moins, un frère est en trop. Personne n'est à sa place ! Caïn est un « être acquis », grâce à Dieu, c'est d'emblée un homme. Tout se passe comme s'il était l'homme de la famille. Agriculteur, la terre lui appartient, ses fruits aussi. Il possède, perçoit le monde comme étant en son pouvoir.

Il est partout chez lui, il ne connaît pas de limite. Abel, lui, est un frère « donné » à Caïn par Ève. On voit le danger de laisser croire à un enfant qu'on fait un petit frère ou une petite sœur *pour lui*. Cela revient à le lui livrer. Abel vient de *hével*, qui signifie *souffle de buée, éphémère, vanité, vacuité*. C'est un frère « ajouté » par la mère dans le monde de Caïn, un être en plus. Berger, il n'est pas attaché à une terre mais va là où le troupeau le conduit et ignore lui aussi les limites. Sans racines, dépourvu de chez-soi, son être est léger, évanescent. Saura-t-il faire le poids face à Caïn ?

L'équation de la fraternité impose un problème existentiel différent pour Caïn et Abel. Le premier doit faire une place à l'autre. Abel doit imposer la sienne, face à Caïn sinon il sera victime de son propre échec. L'un doit accepter d'avoir moins, de partager ce qui lui fut donné, briser la totalité de son monde ; l'autre doit apprendre à être, à exister, à prendre de la consistance, en un mot à s'imposer. L'un doit posséder moins, l'autre doit acquérir plus. Il y va de leur vie. L'un doit céder son exclusivité, l'autre doit conquérir. Le partage quelquefois se gagne contre l'autre, malgré l'autre.

Partager, c'est diviser par exemple un gâteau en deux, soustraire la part de l'autre, accepter d'avoir moins pour que l'autre ait quelque chose. C'est accepter que le frère, la sœur vienne briser la jouissance égoïste de son être replié sur soi. Ne plus être le centre pour faire une place à l'autre, et inévitablement perdre un peu la sienne, abandonner une part de ses prérogatives. La présence d'un frère, d'une sœur apporte une limite à ce que je possède. C'est une des premières expériences de dépossession. Ne pas renoncer, c'est rester dans une logique binaire : ou lui ou moi, logique du déchirement, de l'exclusion. Au contraire, accepter cette expérience de décentrement peut mener de l'égocentrisme à la générosité. Mais le chemin est épineux. Partager c'est délimiter, c'est attribuer à chacun son territoire. Seule une instance extérieure à la fratrie peut poser équitablement cette limite respective. Le partage ne peut être, au départ, qu'un dé-partage institué par les parents. Sans l'arbitrage d'un tiers, c'est le drame annoncé. Mais le tiers est-il toujours impartial ?

Rejoignons Abel et Caïn. Chacun de son côté décide de faire une offrande à Dieu. L'existence d'un frère augmente encore plus le besoin de reconnaissance. Abel et Caïn ont-ils eu besoin de montrer qui des deux était le plus fort, le plus gentil ? Peu importe, ce geste va engendrer le premier fratricide de l'humanité, premier d'une longue, trop longue série. Car Dieu refuse l'offrande de Caïn et accepte celle d'Abel. Dieu cherche-t-il à rétablir un début de justice vis-à-vis d'Abel ? Son geste est-il totalement arbitraire ? En tous les cas, terriblement meurtri par ce geste qu'il considère comme injuste, Caïn est submergé par une souffrance à la limite du supportable. Il se rappelle alors qu'il a un frère, il se dirige vers lui. Caïn s'adresse à Abel mais, de manière déconcertante, aucun mot n'est prononcé. Il appelle mais ne dit rien. Évidemment, il n'obtient aucune réponse d'Abel. Caïn se jette alors sur son frère et le tue. Nous sommes dans la logique la plus dramatique des règlements de comptes. Caïn se fait justice lui-même. Il se venge sur son frère de l'injustice infligée par Dieu. Abel était-il pour quelque chose dans le choix divin ?

En une fraction de seconde, une ellipse temporelle, le frère disparaît dans un silence fracassant. Silence, on tue, on tue un frère. La première expérience mythique du fraternel se termine dans un bain de sang, et sans qu'une seule parole entre les deux hommes ait pu être échangée.

Le meurtre fait suite à une impossible rencontre. Abel est un frère sourd, qui ne répond pas. Sans doute ne sait-il pas encore parler. Caïn est un frère muet qui n'a peut-être pas laissé à son frère le temps de répondre. Aucun des deux n'a perçu ce que portait le silence de l'autre. Entre un frère qui ne sait pas encore dire et un frère qui ne sait pas encore entendre, le fraternel n'a pas d'assise.

La justice, c'est un droit à la parole. Partager suppose le dialogue entre deux êtres qui se reconnaissent mutuellement dans leur souveraineté. Partager, c'est dire, écouter, s'intéresser, c'est aller à la rencontre du monde de l'autre, c'est élargir son propre univers. Partager, c'est compter avec l'autre, c'est prendre en compte la réalité de l'autre. À ce moment-là, le lien fraternel peut s'organiser autour du « l'un pour l'autre », « l'un avec l'autre », « l'un aux côtés de l'autre ». Mais qui a appris à parler à Caïn et à Abel ? Ce qui frappe, c'est encore une fois le silence des parents, muets eux aussi. Ces deux premiers frères sont dans un face-à-face terrifiant. Ils sont bien seuls, l'un face à l'autre, sans aucun tiers, soumis à leurs pulsions primaires, sans accès à la symbolisation, à la médiation du langage.

Le rôle d'arbitrage des parents est essentiel pour que les comptes ne tournent pas au tragique. Et ce rôle doit être suffisamment intériorisé pour qu'il puisse continuer à réguler le lien après leur disparition. Pourquoi l'intervention des parents est-elle indispensable à la construction du lien fraternel ? Parce que la relation est horizontale, elle se situe au sein d'individus appartenant à la même génération. La loi énoncée par un adulte va introduire une verticalité, une transcendance. Elle énonce une règle à laquelle chacun doit se référer. Elle objective, elle explicite, elle définit les limites de chacun.

Une même loi pour tous fonde l'équité. La référence à la loi permet de dépasser le geste de se rendre justice soi-même. Elle permet d'intégrer l'idée que ni le frère ni la sœur n'a de pouvoir sur l'autre, ne peut prétendre avoir un ascendant sur lui. La justice ne peut s'accomplir sans la présence active d'un tiers qui rende possible la relation de « l'un pour l'autre ». L'être frère se construit autour du partage de l'autorité parentale qui détermine les règles du vivre avec l'autre. Le fraternel se met en place au fur et à mesure que les enfants découvrent qu'ils peuvent aussi partager des intérêts communs.

> « On a décidé de ne plus faire crier les parents, ils ne nous ont rien fait de mal, alors on va être sympa avec eux », explique, avec malice, ce frère cadet qui ne cessait de se disputer avec son aîné. Et il poursuit : « Depuis qu'on leur fait plaisir, eux aussi ils nous font plaisir ; ils nous laissent jouer à la Wii... »

Étonnants, ces deux frères ! En deux ou trois séances de thérapie, ils ont saisi et mis en place une réciprocité positive, basée sur une logique du « Si tu me donnes, je te donne » mettant en œuvre une collaboration efficace, qui peut s'élargir au « Si je suis bien avec mon frère, ma sœur, alors mes parents seront bien avec moi ». Tout le monde gagne à cette forme d'échanges, basée sur la logique du gagnant-gagnant et opposée à la réciprocité négative, dans laquelle ces deux frères étaient enfermés jusqu'alors, basée, quant à elle, sur la spirale négative du « Si tu me prends, je te prends ». L'intéressant dans cet exemple est que les enfants ont presque spontanément mis en place ce que les mathématiciens nomment la « théorie des jeux », montrant par là la compétence de la fratrie à intégrer un modèle positif.

Avec cette théorie des jeux, Oskar Morgenstern a démontré scientifiquement qu'un partage équitable amène à long terme un profit stable pour chaque participant. On accède à cette logique quand on ne se contente pas de revendiquer ses droits, ni de faire valoir ses besoins propres, mais quand on parvient aussi à tenir compte des besoins de l'autre, de ses droits. En entendant les intérêts de l'autre plutôt qu'en s'y opposant, on partage avec lui les gains communs de la situation ainsi créée. Gageons que cette piste pourra aider les parents dans leur tâche, car elle ouvre des perspectives intéressantes.

Poser la loi : condition essentielle

Dieu sort enfin de sa torpeur. Il interroge Caïn : « Où est Abel, ton frère ? » Caïn se défend : « Je ne sais pas » et il lance le fameux : « Suis-je le gardien de mon frère ? » À ce moment du récit, Caïn nie tout d'un bloc, en prise à une indifférence terrible. Son frère, ce n'est pas son problème, qu'il soit mort ou vif, il ne fait pas la différence et cela lui est égal. Il le tue, et il ne se rend même pas compte de la gravité de son acte.

Cette indifférence, le fait de n'être pas concerné par le sort d'Abel, c'est le crime même. Car l'indifférence est le point zéro de la relation. Elle signe l'absence totale de lien. Dieu insiste : « Qu'as-tu fait ? Le cri du sang de ton frère s'élève jusqu'à moi de la terre. » En substance, il dit : « Maintenant, cela suffit, entends au moins pour la première fois la voix de ton frère mort. Tu ne peux pas continuer à nier ton acte, ce n'est pas la même chose d'être sous terre, mort, et sur terre, vivant. Laisse-toi toucher par le cri, silencieux, de ton frère, prends la mesure de ton acte. » Ensuite viennent malédiction et punition. « Tu es maudit... Tu seras errant et fugitif par le monde... », dit Dieu à Caïn. À ce moment-là, Caïn prend conscience de l'immensité de sa faute. Il s'écrie : « Mon crime est trop grand pour qu'on me supporte... le premier qui me trouvera me tuera. »

La sanction va permettre d'accéder à la reconnaissance de la faute. Elle est en ce sens essentielle. La culpabilité trace les sillons de la conscience éthique et ouvre la possibilité de la socialité. La reconnaissance de la douleur faite à l'autre inscrit l'individu dans son humanité propre et dans l'altérité. Sans cette reconnaissance du mal que je fais à l'autre, du danger que je peux représenter pour l'autre, nulle fraternité possible. Quand Caïn mesure l'horreur de son geste, quand il en est affecté, alors l'avenir s'ouvre devant lui. Dieu le « marqua d'un signe, pour que personne ne le frappât ». Caïn restera en vie, aura une généalogie féconde, mais portera le sceau de son crime inscrit dans son corps, ineffaçable. Pourtant le crime peut être dépassé : Caïn a découvert – rétrospectivement, dans l'après-coup de la punition – l'immense responsabilité dans laquelle il était engagé vis-à-vis de son frère, c'est-à-dire de tous ses semblables.

Le but de la sanction, ce n'est pas de répondre par la loi du talion, c'est de responsabiliser le coupable. Ne pas sanctionner un enfant revient à le regarder avec mépris. Le respecter dans sa dignité d'être humain, c'est l'aider à affronter sa responsabilité, à la mesurer vis-à-vis de l'autre, à lui reconnaître le droit à l'existence. C'est protéger le frère ou la sœur, mais cela permet aussi d'ouvrir chacun à son avenir propre. La loi permet de sortir des processus primaires et des passages à l'acte. Elle introduit du temps entre l'immédiateté du pulsionnel et la patience du sublimé, entre le besoin impérieux du « tout et tout de suite » et la persévérance nécessaire à l'institution du respect.

En tant que parents d'une fratrie, on détient à la fois le pouvoir législatif et le pouvoir exécutif. Il faut énoncer et rappeler sans cesse le commandement « Tu ne tueras pas » qui concerne le risque physique mais aussi psychique : des insultes répétées peuvent détruire un enfant, qui à force d'entendre « T'es nul, t'es moche... » perd confiance en lui, et se construit sur une bien piètre image de lui-même. En tant que parents, il ne suffit pas d'édicter mollement un « Laisse un peu ton frère tranquille, chacun dans sa chambre », il faut intervenir dès qu'un enfant est trop soumis au pouvoir de l'autre. Il faut aussi s'arranger pour que la loi soit appliquée, départager le territoire et le préserver, soustraire chaque enfant au pouvoir de l'autre. C'est ainsi qu'on aide les enfants à mettre en place une solidarité, un respect mutuel.

Mais à quelle responsabilité renvoie le lien fraternel ? Il faut répondre non pas *de* son frère, mais *à* lui. Être responsable de son frère, ce n'est pas le protéger, le surveiller, le contrôler, mais lui permettre d'advenir à son humanité, au respect de lui-même. Dans la fraternité, la dignité de l'autre me concerne, je me sens impliqué dans le devenir de l'autre, concerné par l'existence de ce frère et de cette sœur.

Suis-je le gardien de mon frère ? Non, il ne s'agit pas de garder son frère, ce qui laisserait supposer qu'il y a une hiérarchie. Il s'agit d'apprendre à se re-garder mutuellement. Re-garder l'autre comme sujet digne. Regarder le visage du frère, de la sœur, c'est reconnaître sa valeur, son éminence. On commence alors à comprendre que les parents puissent s'intéresser à lui, à elle sans que cela nous prive de l'essentiel : leur amour, leur attention. On le (la) découvre comme une personne intéressante, dont on peut être fier, sans que cela nous fasse ombrage.

On peut alors commencer enfin à s'entendre. C'est-à-dire compter avec l'autre, prendre en compte la réalité de l'autre. « Le partage du monde est possible à partir du moment où l'on comprend le monde à partir de l'Autre[1]. » Ce qui active le troisième mouvement du cycle fraternel déjà évoqué : « accepter la perte – partager – s'entendre ».

Une très récente découverte en neurosciences vient de donner une clé biologique à cette perspective éthique. Giacomo Rizzolatti, de l'université de Parme, a mis en évidence l'existence de neurones miroirs. De quoi s'agit-il ? Dans la saisie d'un objet, un certain nombre de neurones s'activent chez le sujet qui fait l'action. Mais, phénomène intéressant ouvrant sur une réflexion philosophique féconde, si une personne, restant immobile, observe une autre personne faire un geste de saisie par exemple, s'activent en elle les mêmes neurones qui se seraient activés si elle avait fait elle-même le geste. Une des fonctions essentielles de ces neurones est la compréhension de l'action. Ainsi, pour reconnaître ce que l'autre est en train de faire, il faut que mon propre système moteur s'anime : je ne comprends vraiment le geste de l'autre que parce qu'il est transcrit dans mon propre système nerveux. C'est ce qui explique l'importance du rôle de l'imitation dans les divers apprentissages. Mais Rizzolatti va plus loin. « En observant des actions effectuées par un autre, deux classes d'informations peuvent être obtenues. L'une est ce que l'acteur fait, et l'autre le *pourquoi* il le fait. En voyant une petite fille, par exemple, prendre une pomme, nous comprenons qu'elle saisit un objet. Toutefois, il est fréquent que nous comprenions aussi les raisons de ce geste, c'est-à-dire son intention. Nous pouvons décider si elle prend la pomme pour la manger, ou pour la stocker dans un panier. L'hypothèse que les neurones miroirs soient impliqués dans la compréhension a été lancée il y a plusieurs années, mais ce n'est que récemment que l'imagerie IRM fonctionnelle l'a confirmé au moins dans certains cas. Les données de l'imagerie montrent ainsi que le système des neurones miroirs est impliqué dans la compréhension de l'intention (...) Les mécanismes miroirs sont également impliqués dans l'empathie (...) sans médiation cognitive (...) la compréhension est inhérente à l'organisation neuronale de deux individus[2]... » Ainsi nous serions équipés neurologiquement pour saisir et comprendre, au moins en partie, le monde de l'autre, mais aussi pour le partager avec lui. N'est-ce pas la base même de l'altérité ?

Nous ne sommes pourtant pas encore au bout de nos peines. Les conditions de la justice sont en place, reste à définir ce qui est juste et ce qui ne l'est pas.

« C'est pas juste ! » ou en finir avec le mythe de l'égalité

> Jésus dit encore : « Un homme avait deux fils. Le plus jeune dit à son père : “Mon père, donne-moi la part de notre fortune qui doit me revenir.” Alors le père partagea ses biens entre ses deux fils. Peu de jours après, le plus jeune fils vendit sa part de la propriété et partit avec son argent pour un pays éloigné. Là, il vécut dans le désordre et dissipa ainsi tout ce qu'il possédait. Quand il eut tout dépensé, une grande famine

survint dans ce pays, et il commença à manquer du nécessaire. Il alla donc se mettre au service d'un des habitants du pays, qui l'envoya garder les cochons dans les champs. Il aurait bien voulu se nourrir des fruits du caroubier que mangeaient les cochons, mais personne ne lui en donnait. Alors, il se mit à réfléchir sur sa situation et se dit : "Tous les ouvriers de mon père ont plus à manger qu'il ne leur en faut, tandis que moi, ici, je meurs de faim ! Je veux repartir chez mon père et je lui dirai : Mon père, j'ai péché contre Dieu et contre toi, je ne suis plus digne que tu me regardes comme ton fils. Traite-moi donc comme l'un de tes ouvriers." Et il repartit chez son père.

Tandis qu'il était encore assez loin de la maison, son père le vit et en eut profondément pitié : il courut à sa rencontre, le serra contre lui et l'embrassa. Le fils dit alors : "Mon père, j'ai péché contre Dieu et contre toi, je ne suis plus digne que tu me regardes comme ton fils..." Mais le père dit à ses serviteurs : "Dépêchez-vous d'apporter la plus belle robe et mettez-la-lui ; passez-lui une bague au doigt et des chaussures aux pieds. Amenez le veau que nous avons engraissé, et tuez-le ; nous allons faire un festin et nous réjouir, car mon fils que voici était mort et il est revenu à la vie, il était perdu et je l'ai retrouvé." Et ils commencèrent la fête.

Pendant ce temps, le fils aîné de cet homme était aux champs. À son retour, quand il approcha de la maison, il entendit un bruit de musique et de danse. Il appela un de ses serviteurs et lui demanda ce qui se passait. Le serviteur lui répondit : "Ton frère est revenu, et ton père a fait tuer le veau que nous avons engraissé parce qu'il a retrouvé son fils en bonne santé." Le fils aîné se mit alors en colère et refusa d'entrer dans la maison. Son père sortit pour le prier d'entrer. Mais le fils répondit à son père : "Écoute, il y a tant d'années que je te sers sans jamais avoir désobéi à l'un de tes ordres. Pourtant, tu ne m'as jamais donné même un chevreau pour que je fasse la fête avec mes amis. Mais quand ton fils que

> voilà revient, lui qui a dépensé ta fortune avec des prostituées, pour lui tu fais tuer le veau que nous avons engraissé !" Le père lui dit : "Mon enfant, tu es toujours avec moi, et tout ce que je possède est aussi à toi. Mais nous devions faire une fête et nous réjouir, car ton frère que voici était mort et il est revenu à la vie, il était perdu, et le voilà retrouvé." »

L'institution de la justice est centrale dans la construction de la fraternité. Car c'est dans les sentiments d'injustice, de préférence que prennent racine les plus virulents et sanglants règlements de comptes. Elle constitue une force de cohésion et d'intégration centrale dans tous les groupes humains.

La parabole du fils prodigue montre à quel point il est difficile de mettre en place une justice considérée comme telle par les deux frères. Là aussi des idées reçues sont à dépasser : il faut en finir avec le mythe de l'égalité. Dans la mesure où chaque enfant est différent, il ne suffit pas d'être égalitaire pour être juste. La justice dans une fratrie ne peut se réduire à la justice distributive, c'est-à-dire celle qui prévoit de donner des parts égales. C'est bel et bien ce qu'a fait le père de la parabole. Mais le frère aîné va faire fructifier ce bien, l'autre va le dilapider. L'égalité initiale peut engendrer des inégalités qui risquent de faire l'objet de disputes, de réclamations, en un mot de règlements de comptes.

De toute manière, cette égalité rigoureuse ne suffit pas à donner aux enfants le sentiment de justice. Donnez deux parts de gâteau identiques à deux enfants, offrez-leur deux jouets identiques, la part de l'autre apparaît souvent plus belle, meilleure, celle que l'on convoite. Le geste qui donne aura beau être le plus impartial possible, aucun des deux enfants ne le percevra de la même manière : l'un trouvera qu'en servant le frère vous lui avez souri, alors que vous ne l'avez même pas regardé en le servant, lui ; tel autre estimera qu'offrir le même jouet, c'est se moquer de lui parce qu'il n'a pas le même âge, ni les mêmes centres d'intérêt. On pense bien faire mais cela ne correspond pas à ce qu'attendaient les enfants. Si l'un des enfants a plus d'appétit qu'un autre, est-ce juste de lui donner une part égale ? Faut-il calculer le partage sur des critères subjectifs comme l'appétit ou des critères mathématiques comme l'égalité ?

Le père de la parabole propose aussi une justice réparatrice, compensatrice. Il veut réparer les préjudices de son « pauvre » fils, il va donner davantage à celui qui a tout perdu, qui a moins que rien. Ce qui pourrait être tout à fait honorable s'il n'avait qu'un fils. Mais pardonner au « mauvais fils » ses errances et, en plus, le nourrir des fruits du travail du « bon fil » ! C'en est trop pour l'aîné. Tous les ingrédients sont là pour que les règlements de comptes s'enveniment. À l'impunité s'ajoute le spectacle du bonheur, de la jouissance du fils perdu-retrouvé.

À la justice réparatrice du père, l'aîné aimerait alors opposer plutôt une justice punitive : à chacun selon ses fautes, à chacun selon ses mérites. Mais le père ne peut se résigner à enfoncer davantage celui qui a déjà beaucoup souffert. Donner plus à celui qui a le plus besoin, c'est ce qui se passe souvent dans les familles où un des enfants est handicapé. Le bien portant peut aller jusqu'à se sentir coupable d'être en bonne santé, en vouloir à l'autre d'accaparer tous les soins.

Nous sommes bien face à ce terrible défi de la justice en famille. Si tout le monde la réclame, elle n'a pas le même sens, le même contenu pour chacun des membres du groupe. Ce qui peut paraître juste à l'un sera vécu comme injuste à l'autre. Nous n'avons pas toujours les mêmes critères pour l'appliquer.

Être juste, c'est parvenir à trouver un point d'équilibre, de convergence entre des intérêts divergents, voire antagonistes. Pas évident du tout ! Est-ce à dire qu'il n'y a pas de justice sans une part d'inégalité ? Plus précisément, en famille, la justice est un processus d'égalisation de l'inégal, du moins une tentative de rendre plus équitable ce qui ne peut pas être tout à fait égal. Comment ? En trouvant un équilibre entre ce qui est bien pour soi et ce qui est bien pour autrui. La justice apparaît comme ce qui est mutuellement avantageux et non pas comme ce qui est avantageux au plus fort, ni au plus faible. C'est un équilibre périlleux qui institue quelque chose de l'ordre de la réciprocité, c'est-à-dire accorder à l'autre l'importance qu'on aimerait qu'il nous accorde. Cela passe par l'acceptation du fait qu'on ne doit pas faire à l'autre ce qu'on ne voudrait pas qu'il nous fasse. Ainsi instituée, la justice est un facteur générant de la confiance mutuelle. Ce qui peut se partager alors, c'est le bonheur d'être ensemble. Car le bonheur, s'il n'existe que pour soi, est-ce vraiment du bonheur ? Le bien-être individuel et le bien-être collectif sont indissociables en famille.

C'est dire que la justice est un long processus. Un acte juste mais isolé ne suffit pas à instituer un sentiment de justice, même s'il y participe activement. Même si nous ne pouvons pas toujours être justes, même si nous ne savons pas toujours comment l'être, pour fonder la conscience morale de nos enfants, il est déjà essentiel de leur faire partager au moins le souci de la justice qui fonde le respect mutuel. « Le souci de la justice rend un visage incomparable et unique », nous dit encore Emmanuel Levinas. Si déjà les frères et sœurs parviennent à reconnaître la valeur de l'autre, à s'apprécier mutuellement, dans leur singularité, alors une grande part du chemin est faite pour que chacun puisse savourer les différences de l'autre et prendre plaisir à leur complémentarité.

Les parents devraient se sentir plus à l'aise à l'égard de ces différences. Car, oui, les enfants sont différents, ils ne sont pas nés au même moment de notre existence, ils ne représentent pas tout à fait la même chose, on n'a pas tout à fait le même type de relation avec chacun de nos enfants. Mais différences ne veut pas dire préférences ! Accepter les différences inéluctables qui existent entre les enfants d'une fratrie permet aux frères et sœurs de mieux en apprécier la complémentarité possible. Ces différences sont un « plus » indéniable, une ressource importante pour chacun ; les vivre et les percevoir comme telles facilite les processus d'égalisation.

La justice ne peut donc s'instituer que dans une certaine rigueur qui en même temps devient joie et plaisir. Finalement, comme le suggérait Rousseau, c'est un « contrat » que tout le monde a « intérêt » à respecter. Une des lignes directrices pourrait être formulée de la manière suivante : une famille juste est celle où malgré les disparités des besoins, du sort, des mérites, des avantages ou handicaps, la souffrance, les besoins de chacun comptent autant que ceux des autres. Elle suppose que les limitations imposées par le fraternel soient supportées par tous, pour l'apaisement de tous. Elle ne s'institue que dans une certaine mobilité, souplesse entre les différentes formes de justice. L'impartialité des parents en est un garant essentiel, mais méfions-nous des pièges que nous tend l'inconscient et qui nous rendent partiaux bien malgré nous.

Myriam, quinze ans, est toujours en bagarre avec son frère, Christophe, onze ans. Ce n'est pas virulent mais profond et bien enraciné. Ils s'énervent mutuellement, se traitent de tous les noms, n'ont jamais joué ensemble. Ils sont jaloux l'un de l'autre. La fille réussit facilement, elle a beaucoup d'amies, se fait rarement gronder. Le garçon, plus turbulent, doit faire plus d'efforts pour un niveau scolaire moyen, ce qui lui vaut toutes les moqueries de sa sœur, bien entendu. Plus solitaire, il doute de lui ; plus taquin, voire provocateur, il se fait souvent remettre à sa place par les parents. « C'est toujours moi qui prends ! » se plaint-il.

De manière inconsciente, la maman, qui a eu plus de mal à avoir Myriam, née prématurée, nécessitant des soins attentifs, n'a jamais vraiment quitté sa fille. En plus elles se ressemblent, se comprennent parfaitement, sont de connivence. Christophe se sent exclu, insuffisamment regardé, reconnu, étayé par sa mère, qui avoue aussi : « Je viens d'une famille de filles, je ne sais pas faire avec un garçon… et puis, comme je suis l'aînée, je sais trop ce qu'elle ressent. » Mère et fils s'aiment, il n'y a aucun doute, mais ils ont du mal à se comprendre. La proximité de la mère et de la fille ne permet pas à la fratrie de se constituer, elle peut être ressentie comme une préférence venant faire obstacle à la mise en place de la justice.

Malgré la bonne volonté des parents, certaines de leurs attitudes inconscientes peuvent faire ombrage au fraternel. Il y a d'abord tout ce que la fratrie de leurs enfants réactive de leur propre vécu. Selon la place que l'on a eue dans sa propre fratrie, on peut, à son insu, influencer la relation fraternelle de ses enfants. Soit par projection : « Ma fille, mon fils souffre comme moi avec mon frère, ma sœur », ce qui ne fera qu'amplifier les choses. Soit par volonté de réparation : « Je n'ai jamais eu le dessus sur mon frère, alors je ne veux pas que ma fille se laisse faire. » En y regardant de plus près, quand un enfant a tendance à dominer l'autre, il peut se sentir implicitement autorisé par un des parents.

Les disputes des enfants peuvent aussi mettre en scène des conflits, ouverts ou fermés, du couple parental. Et cela peut aller jusqu'à une ligne de brisure entre l'« enfant du père » et l'« enfant de la mère ».

Aux parents de rééquilibrer en s'ajustant. S'ils doivent être les vecteurs et les garants de la loi, ils ne doivent pas faire obstacle à l'horizontalité du lien fraternel, en prenant trop de place, en instituant une alliance trop forte avec un des enfants par rapport aux autres. Les alliances, c'est entre les frères et les sœurs qu'elles doivent se constituer, dans le respect de l'ordre générationnel. En consolidant la relation à l'intérieur de la fratrie, on renforce l'ordre générationnel.

Mais il appartient aussi aux enfants, à partir d'un certain âge, de sortir de l'emprise d'un amour parental trop fort, de s'en défaire.

Tel est le cas de la fratrie mythique d'Esaü et Jacob[3]. Jacob est le fils préféré de sa mère ; il va d'abord échanger son plat de lentilles contre le droit d'aînesse d'Esaü ; ensuite, avec la complicité de sa mère, il va se faire bénir par le père mourant à la place d'Esaü qui, terriblement floué, menacera de le tuer. Jacob s'en va. Cet exil dans lequel il va devenir un personnage riche, important, lui permet de se réaliser, et de comprendre qu'il peut exister par lui-même sans l'alliance maternelle. Il revient, chargé d'offrandes pour Esaü, prêt à donner, alors qu'il n'y est plus obligé. Il se situe au-delà du partage. Seuls comptent la fidélité à l'origine, le respect de la mémoire parentale, la continuité de l'histoire familiale.

Quand les deux frères se rencontrent, chacun veut laisser à l'autre la préséance, nul ne veut plus investir le premier rôle, et ils concluent par cette formule magnifique : « Marchons ensemble. » Esaü, de son côté, a aussi « avancé », il n'en veut plus à son frère d'avoir été le préféré. Ils s'apprécient mutuellement pour ce qu'ils sont devenus.

Loin des enjeux familiaux, en dehors des regards parentaux, les deux frères ont réussi à mettre en place cette fameuse équité que les parents n'avaient pas réussi à instituer. Ils ont créé les nouvelles conditions du fraternel, par un acte de volonté et un geste de générosité, faisant émerger alors, au-delà des comptes, le seul plaisir d'être ensemble, de partager tout simplement de bons moments.

Il leur en aura fallu du temps pour accéder à cette justice ! À partir d'un certain âge, chaque membre de la fratrie est coresponsable de la justice. Chacun doit se positionner de manière adulte, c'est-à-dire autonome, par rapport aux figures parentales absentes ou présentes, encore vivantes ou non. L'exil de Jacob aura permis à la fratrie de découvrir et d'intégrer l'importance de la loi du fraternel qui s'impose désormais comme un choix conscient et délibéré alors qu'il n'était auparavant qu'une injonction parentale.

Car, ne nous y trompons pas, il y a partage et partage. Sous la pression des parents, il peut finir par se faire, mais si le cœur n'y est pas, le ressentiment enfle, enfle silencieusement, secrètement, et il ne manquera pas d'occasions pour exploser un jour ou l'autre. Si on ne fait que respecter des obligations, en vertu d'une nécessité externe, on n'est pas dans l'éthique, on est dans l'obéissance. Ce qui est la première étape nécessaire. L'éthique, c'est vouloir consciemment, pour un individu qui se veut sujet de son action. Si le rôle des parents est indispensable, l'élaboration individuelle est nécessaire. Tant que les enfants, devenus adultes, ne font pas le choix du fraternel, les parents auront beau avoir mis en place les ingrédients nécessaires, la bonne entente peut ne pas résister à l'épreuve de leur mort.

7

La fratrie à l'épreuve de la mort des parents

La cohésion familiale en péril

On se souvient des pièces de Molière, dans lesquelles le père menace de déshériter l'un de ses enfants. Sous l'Ancien Régime, le père bénéficiait d'une totale liberté testamentaire, l'enjeu pour les enfants étant d'obtenir de lui au moins une part correcte. Depuis que la Révolution a appliqué aux héritages son idéal égalitaire, les enfants reçoivent des parts irréductibles et quasiment égales de leurs parents. Les droits des enfants étant ainsi reconnus et respectés, les conflits se sont déplacés à l'intérieur de la fratrie. Car l'égalité des parts sur le plan financier ne suffit pas à donner le sentiment d'équité, tant les enjeux de l'héritage sont complexes[1].

Qu'il soit conséquent ou constitué de quelques objets, l'héritage constitue un passage extrêmement délicat pour une fratrie et met en évidence la vulnérabilité du lien. Comme toute séparation, le deuil des parents est souvent propice aux règlements de comptes dans une famille, qui peuvent devenir particulièrement sordides. Les successions doivent se régler assez rapidement, « à chaud », alors qu'elles soulèvent des affects, des émotions débordantes qui demanderaient à être travaillées dans la durée et dans un contexte plus serein. Au lieu de cela, le partage du patrimoine doit être opéré à un moment de bouleversements internes, alors que des souffrances anciennes, cristallisées, ressurgissent. On y entre les émotions en bataille, ce qui n'est pas fait pour apaiser les choses. Il y a comme un désaccordage temporel entre un travail d'élaboration interne qui demanderait du temps et une pression externe, administrative et venant du reste de la fratrie. D'où une certaine confusion. On peut être tenté de régler sur le plan matériel les blessures, les manques, les frustrations qui relèvent de l'affectif, du symbolique, de l'émotionnel. Dans une famille, l'héritage représente bien plus qu'une affaire de « gros sous ». Lors du partage successoral, la filiation, l'appartenance, la reconnaissance, la réussite de chacun, tout est ébranlé. Les liens de cœur insuffisamment consolidés risquent de faire exploser les liens de sang, à la mesure de l'impact des liens d'argent.

L'étendue du travail psychique est immense. Comment vont s'articuler désormais les composantes de l'identité fille/fils, sœur/frère, père/mère, femme/homme ? L'héritage fait vaciller bien des dimensions de notre être. Chacun vit un deuil personnel. Il lui faut assumer la perte, régler ses comptes avec les figures parentales, interroger son appartenance, sa filiation. Mais par ailleurs, ce partage ultime va réactiver les difficultés qu'a eues la fratrie à se constituer. Quand partager dans la fratrie a été difficile, plus superficiel, « convenu », que réel, intégré, le dernier partage va réactiver les sentiments d'injustice. D'autant que lors de la succession, il ne s'agit plus de prêt temporaire, mais de cession, soit une perte définitive, un abandon de l'objet qui désormais ne fera plus partie de sa vie, ni de son horizon. Le partage ici signe une irrévocable séparation. Il fait entrer dans le registre du don, que l'on n'a justement peut-être pas envie de mettre en œuvre à ce moment.

Le cycle des échanges « perdre pour gagner-partager-s'entendre » est bousculé et se rejoue. Avec la disparition des parents, qui étaient le pivot de la fratrie, l'entente est à reconstruire ou à consolider. Il ne s'agit plus seulement de partager un jouet, une chambre, mais des biens dont la valeur symbolique et affective est d'autant plus importante que les parents ne sont plus là, et qu'ils portent tous l'empreinte des défunts. À travers eux, on peut avoir tendance à régler tous les comptes tapis dans la mémoire dormante : la jalousie, les rivalités, les haines, les sentiments d'injustice, de manque de reconnaissance, de n'avoir pas ou moins compté pour les parents. À ceci s'ajoutent les insatisfactions d'adulte, les frustrations de la vie affective, les échecs amoureux, les difficultés dans sa fonction de parents. Aubaine extraordinaire pour l'inconscient, l'héritage favorise le retour des processus primaires, des pulsions plus ou moins refoulées du vivant des parents.

Tout se passe comme si leur disparition faisait exploser le « surmoi fraternel » insuffisamment intégré. Il n'y a plus de contenant psychique aux débordements pulsionnels dans la fratrie. Rien ne fait obstacle à l'agressivité des uns et des autres. Le face-à-face fraternel peut alors avoir lieu dans toute sa cruauté. La loi du respect mutuel s'évapore sous la pression de celle du profit, de la revanche. Les masques tombent en même temps que le contrôle sur soi.

> « Je ne connaissais pas mon frère sous ce jour sordide. »
> « Ma sœur révèle tous les mauvais côtés de son âme… »

Sur quoi et autour de quoi le lien fraternel va-t-il désormais se refonder et se poursuivre ? Les parents étaient-ils le seul trait d'union possible entre les frères et sœurs ? Si la relation ne passe plus par eux, peut-elle exister encore et de quelle manière ? Quelle relation ai-je envie de maintenir avec mes frères et sœurs ? Quel sens cela a-t-il pour moi, pour ma famille actuelle ? La loyauté envers la fratrie est interrogée, quelquefois sans état d'âme. Dois-je encore quelque chose à mes frères et sœurs ?

> « Je n'ai plus rien à voir avec mes frères et mes sœurs, on vit dans des planètes différentes. On se réunissait encore chez ma mère à certaines occasions, mais maintenant rien ne m'oblige à les voir. »

Le décès des parents libère les enfants d'obligations filiales et met à l'épreuve la cohésion familiale. En dehors de tout aspect matériel, la question se pose à chacun de savoir quel sens le fraternel peut avoir désormais dans son existence.

> « Ma sœur m'en a toujours voulu, j'ai pris une liberté qu'elle ne s'est jamais autorisée à prendre. Elle a toujours été écrasée par l'autorité de mon père. Moi, je suis partie très tôt de la maison, j'ai fait des études, j'ai un travail dans lequel je m'épanouis, j'ai fondé une famille qui tient à peu près debout… Quand je la voyais aux fêtes de famille, elle me lançait des regards de haine. Longtemps je me suis sentie coupable, c'est surtout ma mère qui me culpabilisait en me disant : "Regarde ta pauvre sœur, elle s'est encore fait licencier, elle n'a pas de chance." Comme si je pouvais y faire quelque chose. C'était insupportable ! Maintenant, je n'ai plus

de raison de subir cette épreuve, de supporter sa jalousie si évidente, je me sens libérée de ces obligations. »

« Je me suis sortie de mon milieu familial avec beaucoup de difficultés, ma famille était très pauvre mais surtout j'ai affronté l'alcoolisme de mon père, sa violence, la faiblesse de ma mère, peut-être même sa dépression, et mes frères qui ont repris le flambeau. Longtemps j'ai eu honte de ma famille, maintenant j'ai appris à ne plus leur en vouloir, mais depuis que mes deux parents sont morts, je n'ai plus aucun lien avec ma famille, sauf peut-être un cousin. »

La mort des parents interroge l'appartenance : « Ai-je envie de préserver cette appartenance ? Qu'ai-je en commun avec ma fratrie ? On a eu des parents communs, une enfance commune, mais à présent, que puis-je encore partager avec eux ? La fratrie, c'est ce qui après la mort des parents me relie le plus directement à l'histoire familiale. Pour tourner la page, mettre à distance une histoire familiale lourde, il est peut-être nécessaire de passer par un éloignement ou une rupture plus ou moins radicale et temporaire avec les frères et sœurs. Parfois c'est un moyen de solder les comptes avec la névrose familiale. Une rupture explicite n'est sans doute pas facile à vivre, mais peut parfois éviter de torpiller le lien fraternel du fait des antagonismes dans la succession.

La propension, plus ou moins consciente, à préserver ou non le lien sert de cadre aux partages successoraux. Les comportements seront guidés par une logique qui va du « sauve-qui-peut », où l'intérêt personnel prévaut, à une logique de solidarité, où l'intérêt du groupe est premier et où on tentera de sauvegarder les liens. Dans une fratrie, il est rare que les réactions soient à l'unisson. Les premières notes discordantes, les premiers désaccords de fond vont mettre en évidence les lignes de faille qui traversent la fratrie. Il faudra des compromis, des ajustements, une souplesse que certains trublions ne sont pas prêts à mettre en œuvre, comme s'ils prenaient plaisir à semer la zizanie. Car il faut être plusieurs à vouloir s'entendre.

De leur vivant, les parents se débrouillaient des différences dans la fratrie, comme ils le pouvaient, mais au moins étaient-ils symboliquement le trait d'union. À présent, les différences peuvent justifier si ce n'est la rupture, en tous les cas la prise de distance, le délitement du lien. Tout ce qui peut les exacerber va renforcer l'idée que, décidément, je n'ai rien à voir avec ce frère et cette sœur.

> « Ma sœur a à peine pleuré. Elle s'est enfermée dans une attitude que je ne comprends pas. Mes nièces n'étaient pas à l'enterrement, alors que mes enfants étaient bouleversés. Elle ne m'a pas demandé comment j'allais. Quand elle m'appelle, c'est tout juste poli, elle semble d'une indifférence qui me fait froid dans le dos. C'est peut-être sa manière de faire le deuil, mais moi, j'ai besoin de partager avec elle des souvenirs, d'échanger, j'aurais aimé qu'on pleure ensemble. »

Chacun va faire le deuil à son rythme et à sa manière. Le fait que les uns et les autres ne réagissent pas de la même manière peut être insupportable à certains, engendrer un sentiment de « chacun pour soi ». Chacun se fait son propre conte, garde une image particulière du père, de la mère, leur réalité physique ne faisant plus obstacle à la réalité fantasmatique. Tout se passe comme si les enfants d'une même fratrie n'avaient plus tout à fait le même père, ni la même mère, comme s'ils n'avaient pas vécu la même histoire.

Et cela d'autant plus que l'héritage est une expérience

douloureuse de démembrement du fruit de toute une vie. Chacun doit renoncer définitivement à la représentation du « tout » parental. Verrouiller une succession, la retarder, la rendre compliquée peut aussi avoir cette fonction : éviter la dispersion, trop insupportable, parce qu'elle fait disparaître à jamais l'unité de la vie des parents. Ainsi, lorsque le divorce des parents a été mal vécu par les enfants, leur succession peut être particulièrement éprouvante pour eux. L'héritage touche notre rapport au corps parce qu'il entame l'intégrité du corps familial. La question devient alors de surmonter le démembrement produit par l'héritage.

Des choix de vie qui s'affirment, des valeurs qui s'opposent

Au croisement d'un passé dont on a besoin de se libérer et d'un avenir que l'on veut repenser, dans lequel on aimerait s'engager pleinement, le décès des parents clôt une période et peut être un commencement. Il place chaque enfant devant des choix existentiels, au regard desquels le fraternel ne pèse pas toujours très lourd. D'où un risque de tempête pour la fratrie, chacun partant vers ce qui lui semble désormais essentiel dans sa vie, sans forcément se préoccuper des relations avec le frère et/ou la sœur, sans se soucier de l'intérêt de l'autre, ni de son point de vue. L'héritage ne met donc pas seulement en perspective l'appartenance de chacun et sa relation au passé familial, il le projette dans un futur où la place du fraternel peut devenir incertaine.

Frédéric et Stéphanie se retrouvent dans la superbe maison familiale qu'ils viennent de recevoir en héritage, dans la famille depuis plusieurs générations. Enfants, ils y passaient toutes leurs vacances.

Pour Frédéric, cette maison chargée de souvenirs représente beaucoup. Il y a fêté son mariage, les baptêmes de ses deux enfants. Il a toujours été très attaché à ses parents, à ses grands-parents. L'idée de se défaire de cette propriété est un crève-cœur. Il aurait l'impression de se couper de toutes ses racines. Mais voilà, sa sœur cadette, Stéphanie, n'a pas le même rapport aux choses. Ils se sont toujours plutôt bien entendus, mais là ils sont dans une impasse. Pour elle, une solution s'impose : vendre. Stéphanie, qui a toujours été plus distante par rapport à la famille, est moins attachée à la valeur affective et symbolique de cette maison. Sa priorité, c'est d'avoir des liquidités pour réaliser avec son mari un projet qui leur tient à cœur depuis des années mais qui est au point mort, faute d'argent. Frédéric qui, lui, n'a pas la possibilité de racheter la part de sa sœur se sent coincé.

Alors qu'ils se disputaient peu, voilà qu'ils se déchirent. « Tu n'en as toujours fait qu'à ta tête. Tu as toujours été révoltée, tu n'as jamais rien respecté. Tu imagines la peine que cela ferait aux parents et aux grands-parents de voir la maison aller à des étrangers… », affirme le frère. L'arme de la culpabilité n'est jamais autant affûtée et aiguisée que dans les guerres de succession. « Tu es un passéiste, tu regardes toujours en arrière… tu n'as pas de leçon à me donner… tu te prends pour qui ? » rétorque la sœur, qui aimerait une fois pour toutes que son frère cesse de se prendre pour la « conscience » de la famille, qu'il cesse de la considérer comme la « petite » car cela en devient lassant. « Et puis, je suis sûre que papa serait ravi que je crée enfin ma boîte, il a toujours insisté pour que je me lance, mais je ne me sentais pas prête. Là tous les éléments sont réunis, je ne peux plus différer ce projet, c'est maintenant ou jamais, et si je ne le fais pas, j'aurais l'impression d'avoir tout raté dans ma vie, d'avoir tout gâché. »

Les enjeux de Frédéric et de Stéphanie dans cet héritage sont cruciaux pour chacun mais profondément antagonistes. Leurs intérêts s'opposent au point de fragiliser un lien auquel cependant ils tiennent. Il ne s'agit pas seulement d'intérêt financier, mais de conflit de valeurs. En avançant dans la vie, les sœurs et les frères ne regardent plus dans la même direction. Des représentations du monde, de la vie s'opposent, ainsi que des manières de penser les relations humaines, les liens dans une famille, les rapports homme-femme. Le signifiant de la transmission qu'est l'héritage va prendre un sens spécifique pour chacun des membres de la fratrie, orientant l'usage qu'il compte en faire. Pour certains qui y voient un facteur de continuité d'une lignée, il s'agit de protéger le patrimoine constitué depuis des générations, façon de défendre avec une certaine dévotion l'immortalité quasi sacrée de la Famille ; selon cette logique, il faut garder les biens en l'état, et désigner celui qui en sera le garant. Pour d'autres, l'héritage doit avant tout maintenir l'unité de la fratrie, l'indivision s'impose alors, dans une espèce de gestion commune du devenir des biens légués. Pour d'autres encore, l'héritage doit surtout permettre d'aider les nouvelles générations, ce qui suppose de se défaire de certains biens pour les transmettre à son tour ou mobiliser les actifs en liquidités. Ces représentations constituent de véritables croyances, profondément ancrées et d'autant plus difficile à faire évoluer qu'elles sont souvent inconscientes.

Cette fratrie de huit enfants, qui s'entendait plutôt bien, se déchire. Le frère aîné veut garder intacte une grande propriété, dans laquelle sont regroupées d'importantes œuvres d'art. Il veut préserver la lignée, la descendance. C'est pour lui un bien reçu tel quel des générations précédentes, et il entend continuer à le garder à l'identique, selon une logique qui remonte au droit romain. Il fait l'unanimité des frères, contre celle des filles.

En analysant un peu plus en profondeur, on commence à percevoir la ligne de fracture qui oppose le « clan » des filles et celui des garçons. L'héritage est pensé par ces derniers selon un modèle idéologique plus ou moins implicite, mais très prégnant, modèle qui tend à exclure, plus ou moins, les filles de l'héritage, à les défavoriser dans la mesure où elles sont alliées avec une autre famille du fait de leur mariage. Ce qui est à défendre, c'est alors la pérennité du nom, l'unité des biens, en un mot l'héritage doit répondre aux prérogatives des hommes, du pouvoir masculin. Mais au XXIe siècle, au nom de quoi ce modèle ancestral pourrait-il s'imposer ?

Inévitablement les lignes « conservatrices » soutenues par certains vont être contestées par des positions plus « progressistes » portées par d'autres. Comme tout événement bouleversant, l'héritage peut être une occasion de clarifier ses propres représentations du monde. Comme autant de symptômes à entendre, les dysfonctionnements nous mettent sur la voie de ce qui nous agite, nous habite, nous fait agir à notre insu. Le symptôme exprime une discordance intérieure entre ce qu'on voudrait être, faire, et ce que l'on fait, ce que l'on est réellement. Un héritage, pathologique par certains aspects, peut donc nous aider à interroger ces dissonances internes, et à les dépasser, ce qui est une manière d'accéder à davantage de liberté. Il invite à un véritable cheminement intérieur. Qui peut véritablement trancher ? Ces conflits de valeurs sont d'une telle complexité que la justice, comme institution, semble elle aussi souvent démunie. En l'absence des parents, qui peut servir de tiers ?

> « Un fils tente de faire valoir des droits supplémentaires sur l'héritage sous prétexte qu'il s'est longtemps occupé de ses parents invalides, qui par ailleurs ne manquaient pas de ressources. Il argue du fait que ses parents ont ainsi réalisé des économies de services payants, alors que lui-même se sacrifiait, notamment sur le plan professionnel. Il entend toucher le montant des soins qu'il a dispensés à ses parents. Que répondent les tribunaux ? Un premier jugement ainsi que la cour d'appel le déboutent, considérant que l'homme n'a fait qu'accomplir un "devoir moral personnel", l'enrichissement des parents n'est que la conséquence d'une observance scrupuleuse des obligations de solidarités entre parents et enfants... La Cour de cassation, elle, lui donne raison. Le fils sera indemnisé car s'il n'a fait que son devoir, son action a amené un enrichissement des parents et un appauvrissement du requérant. Cette décision finale ouvre une brèche dans la distinction entre des relations contractuelles dans lesquelles toute peine mérite salaire. Elle fera jurisprudence, même si elle a été précédée de peu d'un jugement qui s'inspirait d'une maxime contraire, à savoir que « la solidarité familiale ne se rémunère ni ne s'indemnise[2] ».

Si la loi encadre efficacement le processus de succession sur le plan financier, elle ne peut tenir compte de tous les paramètres. Et le fait que les jugements soient parfois contradictoires montre bien combien il est difficile de définir où se situe la ligne la plus équitable, tant chacune des positions peut se défendre.

Les antagonismes quant aux projets de vie, aux projections dans le futur, et donc à l'usage à faire d'un héritage, sont également en partie liés à des évolutions personnelles qu'il n'est pas toujours facile de faire admettre dans la fratrie.

« Au moment de l'héritage, je suis tombée de haut ! explique Muriel. J'ai toujours eu de bonnes relations avec mon frère, Gérard. Pour moi, c'était le petit frère, je le protégeais, il venait chercher auprès de moi du réconfort, je l'ai toujours aimé, on était complices sur plein de choses, on a partagé beaucoup de bons moments. Et puis, quand il s'est agi de gros sous, tout s'est envolé, finie notre bonne entente. Je ne le connaissais pas sous cet angle-là. Tout d'un coup, j'étais devenue l'ennemie à abattre. Je ne sais pas quelle a été l'influence de sa femme, mais elle a dû en avoir une, elle ne m'a jamais appréciée, elle était comme gênée, pour ne pas dire jalouse de la complicité que j'avais avec mon frère. Alors que la succession est plutôt simple et aurait dû se passer comme sur des roulettes, ils me cherchent tous les deux des noises, ils me bloquent sur la vente d'un appartement. On ne s'appelle plus ou sinon que pour des histoires d'argent, de notaire. J'en souffre terriblement, au point d'en avoir perdu le sommeil. »

Gérard explique de son côté : « Du vivant de mes parents, j'avais du mal à me défaire déjà de leur emprise, ma sœur m'a longtemps aidé à prendre ma liberté, elle m'a longtemps soutenu face à eux, et sans que je m'en rende compte, elle a relayé auprès de moi leur influence au point qu'à un moment je ne faisais plus rien sans l'appeler. Aujourd'hui qu'ils sont morts, je veux vivre ma vie sans la tutelle de personne. Mais elle ne le comprend pas et, dès que je ne suis pas d'accord avec elle, elle pense que je lui en veux, et que je souhaite lui mettre des bâtons dans les roues. Je tiens simplement à faire admettre mon point de vue, et qu'elle le reconnaisse. C'est visiblement très dur pour elle. »

Gérard a peut-être accepté pendant un temps la position de « petit frère », sans doute cela lui convenait-il aussi car l'appui de sa sœur lui était nécessaire. L'entente s'est construite sur un jeu de dépendance où tous trouvaient leur compte et qui devait aussi, inconsciemment, être entretenu par les parents. Mais au moment de leur mort, Gérard a eu besoin de s'émanciper de ces tutelles, il était temps pour lui de devenir un « grand », d'autant qu'il venait d'être père d'un deuxième enfant. En ne suivant pas l'avis de sa sœur dans la succession, est-il en train de se venger, cherche-t-il à reprendre la main sur la relation, à lui faire payer sur le lien d'argent la dépendance affective dont il a eu du mal à se défaire ? Ou tout simplement à faire reconnaître une évolution que Muriel a bien du mal à admettre ? Muriel est déstabilisée, surprise par la rébellion du petit frère qui jusqu'à présent « suivait », lui demandait des conseils. Elle n'est pas préparée à ce changement.

Mais il est certain qu'à l'âge de quarante, cinquante, soixante ans, les places d'aîné, de cadet sont en partie vidées de leur sens, et plus encore à la mort des parents. On se retrouve entre adultes, qui ont chacun un point à défendre. Cette reconnaissance mutuelle n'est pas facile. Il est important, pour soi comme pour l'autre, de tenter d'y accéder au moment de l'héritage, d'essayer de reconnaître son frère, sa sœur dans ce qu'il est, dans la richesse de sa singularité, comme un homme, une femme digne d'être pris en considération.

Sandrine et Philippe s'aimaient bien, sans plus. Depuis leurs mariages respectifs, ils se voyaient moins, le mari de

Sandrine avait peu d'atomes crochus avec la famille, et la femme de Philippe ne se sentait pas très à l'aise non plus. Ils se côtoyaient aux fêtes de famille, en restant sur le registre de la politesse. Sandrine se rapprocha de sa mère, l'accompagna dans ses démarches. Elles prirent ensemble un certain nombre de décisions souvent sans consulter Philippe. Lui n'aurait sans doute pas fait très attention à cela, sa sœur habitant la même ville que sa mère, cette tournure des choses l'arrangeait plutôt bien. Mais sa femme ne le vit pas du même œil, et elle commença à introduire le ver dans le fruit. « Tu ne trouves pas bizarre que ta sœur soit toujours fourrée chez ta mère, tu devrais aller voir si elles ne manigancent pas quelque chose derrière ton dos pour l'héritage. – Mais non, laisse tomber. D'ailleurs, je n'ai pas le temps d'aller là-bas. – Bon, fais comme tu veux, mais ta mère, elle t'a tellement critiqué tout le temps qu'elle peut tout aussi bien te défavoriser… »

Cliché ? Pas seulement. Sans doute les femmes sont-elles en général plus attentives à certains gestes, peut-être comptent-elles davantage que les hommes, plus attachées à ce qui a trait aux objets symbolisant le « corps familial ». Mais on ne peut le nier, l'influence des belles-sœurs, beaux-frères, des compagnes, compagnons, est très grande sur l'évolution du lien fraternel. Moins impliquées affectivement, moins liées par des loyautés, ces « pièces rapportées » peuvent considérablement infléchir le lien, attiser les rivalités fratricides ou au contraire appeler à l'apaisement. Elles participent pour le moins à l'élaboration de choix de vie et de valeurs. Elles aident aussi leurs femme, mari, compagne, compagnon à grandir. Et bien souvent leur influence est évidente au moment de l'héritage, d'une manière ou d'une autre.

« Allez savoir pourquoi, ma sœur a plutôt mal tourné. Elle s'est droguée, elle a un diplôme de pharmacie, mais elle n'a jamais pu travailler de manière stable dans une officine. Elle ne supporte pas l'autorité, dit-elle, mais je crois qu'elle est aussi un peu portée sur l'alcool. Bref, elle est en grande difficulté dans sa vie, elle est seule, son fils a renoncé à s'occuper d'elle, il est plus proche de son père.

Depuis la mort de nos parents, je me sens responsable d'elle, et c'est très lourd. Elle m'accapare, elle en demande toujours plus au niveau temps, argent. Je ne sais même pas si je l'aide en faisant tout ça. Je ne sais d'ailleurs pas si quelqu'un peut l'aider. Mes parents ne m'ont jamais demandé formellement de m'en occuper, mais je sentais bien à quel point ça les minait de la voir comme ça. Moralement je me sens responsable d'elle, et quelque part je me sens un peu coupable d'avoir réussi ma vie plutôt correctement. Mais bon, que pouvons-nous faire face aux inégalités du sort ?

Mes parents avaient quelques économies, et un appartement. J'en ai beaucoup discuté avec mon mari, et il a été d'accord avec moi. J'avoue que j'ai eu du mal à en parler, je ne savais pas s'il accepterait car c'est tout de même un sacrifice. Il n'était pas obligé, mais il a été très fair-play, ça m'a beaucoup aidée, et ça nous a rapprochés. Il m'a dit très spontanément : “On a fait notre vie sans ces biens, on a largement ce qu'il nous faut sans rouler sur l'or, décide ce qui est le mieux pour toi”, ça m'a énormément soulagée. On en a parlé aussi aux enfants pour qu'ils ne se sentent pas lésés. Et on a décidé de céder notre part d'héritage à ma sœur, en protégeant son appartement. J'espère que cela la mettra à l'abri. »

Des places à redéfinir

> « Après la mort de ma mère, je me suis fait un devoir de réunir la famille à chaque Noël. C'était une vraie galère. Personne n'avait vraiment l'air content, ça me demandait des efforts pour pas grand-chose. Je le faisais par respect pour la mémoire de ma mère. Elle ne m'a rien demandé, mais je savais que c'était important pour elle. J'ai repris le flambeau quelques années de suite puis j'ai laissé tomber. On se réunira quand ça fera plaisir à tout le monde, je ne veux plus en faire un devoir. »

D'une manière générale, l'absence des parents appelle à un remaniement des places dans la famille. Leur décès laisse vacantes certaines fonctions, qui vont être âprement négociées, car ce sont autant de légitimités qui sont en jeu. Qui sera le mieux placé pour entretenir la maison de campagne ? Qui est le « dauphin », fidèle à l'esprit de famille ? Qui saura prendre en compte les intérêts de la famille désormais orpheline ? Qui prendra le relais de la mère pour réunir tout le monde ? Qui sera le « meilleur » fils, la « meilleure » fille ? Si on veut faire revivre l'esprit de la famille d'antan, il faudra s'adapter à la nouvelle configuration imposant la transformation de rituels qui, s'ils ne sont que des sanctuaires voués à la mémoire parentale, seront rapidement dépourvus de leur sens et de plaisir. Faire le deuil, n'est-ce pas aussi accepter le vide de certaines de ces fonctions ?

Le décès des parents peut être vécu comme l'occasion de gagner une place qu'on n'a jamais eue, ou au contraire de conforter celle qui nous convenait si bien.

Marion et Amandine héritent chacune de biens importants, les valeurs strictement financières sont équivalentes. Oui, mais Marion, qui habite dans la région parisienne, a hérité d'un appartement à Paris, et Amandine, qui habite à Nantes, a hérité d'une belle maison sur la côte bretonne. Les parents ont cru bien faire en organisant ainsi l'attribution de leur patrimoine. Ils n'ont pas pris le temps de consulter leurs filles avant, mais s'ils l'avaient fait, cela aurait-il changé quelque chose ? Ce n'est pas certain.

Amandine est ravie, elle rêvait de cette maison, mais Marion n'a que faire de l'appartement parisien car, bien logée, elle n'envisage pas de déménager ; elle va donc le louer. Elle se sent exclue de l'héritage affectif, symbolique de ses parents. Les parents habitaient dans la maison en Bretagne depuis leur retraite, l'avaient transformée, son père avait beaucoup bricolé, leur empreinte est là-bas. L'appartement de Paris est bien plus neutre affectivement.

« Tu as toujours été la fi-fille à papa-maman, je me souviens, quand tu étais petite, maman riait quand tu lui piquais ses affaires, moi, elle me criait dessus comme c'est pas possible. » Marion a le sentiment d'être coupée de sa filiation, comme si, post mortem, ses parents continuaient de la désavouer. Elle voit confirmée l'impression de toujours que sa sœur était davantage « fille de ses parents ». Elle ne supporte plus sa sœur et lui en veut terriblement. Elle estime qu'elles n'ont désormais plus rien en commun.

Amandine en souffre car elle n'y est pour rien. Elle est bouleversée par l'immensité du ressentiment presque haineux de sa sœur. Elle n'en revient pas car, jusqu'à présent, c'était plutôt cordial entre elles.

L'héritage est perçu comme un ultime message envoyé post mortem à chacun des enfants. On lui attribue une valeur symbolique parce que le bien, l'objet hérité représente le défunt. Aussi égalitaire soit-il, il semble désigner à chaque enfant au-delà de la mort des parents la place qu'il a dans la famille, qu'il avait dans le cœur du parent décédé. Une part même égale peut être jugée *seulement* égale si on pensait bénéficier d'une position privilégiée. Ce qui est hérité peut être ressenti par certains comme la confirmation explicite et définitive que, « décidément, j'ai toujours compté moins que les autres, décidément les parents ne m'ont jamais compris, reconnu, aimé peut-être ». Il semble stigmatiser les préférences d'antan. Mais il ne s'agit que d'un conte, d'un récit qu'on se fait à soi-même. Les défunts ont-ils voulu donner le sens que leurs enfants y trouvent ? Peut-être faut-il objectiver ce qu'on a tendance à trop rendre subjectif ? Ou au moins s'ouvrir à des sens multiples, ne pas se laisser enfermer dans la première interprétation qui vient, faire éclater le sens pour le rendre plus fluide.

Supposer qu'il y a un message caché, donner un sens symbolique aux biens conduit à une logique de guerre de succession. La haine peut s'y déployer ouvertement, destructrice pour tous, car elle ne peut rien régler.

« J'ai, ou plutôt j'avais trois frères : depuis la succession, j'ai coupé tous les ponts. Il m'a fallu pas mal d'années pour comprendre ce qu'ils m'ont fait payer alors. Mais je ne sais même pas si j'ai tout digéré, au fond de moi j'en souffre encore. J'ai vécu ça comme une terrible injustice, ils se sont littéralement ligués contre moi pour m'expulser d'un appartement que mon père m'avait plus ou moins légué verbalement. Au moment du passage devant le notaire, ils ont cherché à réduire au maximum ma part et m'ont vidée de ce lieu auquel j'étais attachée parce que je l'avais reçu vraiment comme un cadeau de mon père.

J'ai toujours été très proche de mon père ; au moment du divorce de mes parents, je suis restée avec mes frères chez ma mère, mais je le défendais toujours, je ne supportais pas qu'on le juge, qu'on dise du mal de lui. Je ne m'entendais pas trop mal avec mes frères, mais on n'était jamais d'accord sur notre père. Il faut dire qu'il m'avait mise très tôt dans la confidence, il m'avait avoué très tôt qu'il avait une maîtresse, j'ai partagé ce secret longtemps avec lui, cela renforçait notre complicité. »

Être le préféré de l'un des parents, être dans la complicité, dans l'alliance avec lui, est insupportable pour le reste de la fratrie. Cela le devient encore plus après sa mort. Les biens patrimoniaux seront utilisés comme des armes que les frères ou sœurs – qui se sont sentis lésés depuis déjà longtemps – n'hésitent pas à brandir. L'héritage peut amener à rayer l'autre, le rendre inexistant, c'est-à-dire mettre en œuvre le fantasme fratricide.

Depuis plusieurs années l'héritage de ces trois frère et sœurs est bloqué. Ils n'arrivent pas à se mettre d'accord sur le partage. Les deux sœurs seraient prêtes à s'entendre, mais le frère verrouille tout. Il s'est toujours senti la « dernière roue du carrosse » ; sa situation professionnelle est précaire, il n'a jamais vécu avec une femme plus longtemps que quelques semaines. Il est dans une spirale d'échec.

Depuis la mort des parents, il passe son énergie à faire procès sur procès à ses sœurs. Tout se passe comme si sa raison de vivre, c'était de contrer les autres. En les empêchant d'accéder à l'héritage, cherche-t-il à prendre un pouvoir qu'il n'a jamais eu ? Mais en n'agissant que par réaction contre les autres, on est tout sauf libre. En tous les cas, il investit une place centrale qu'il n'a peut-être jamais eue. En demandant plus que sa part, peut-être veut-il « se payer », compenser le manque affectif qu'il a toujours éprouvé. Mais cela est strictement impossible car ce qui n'est pas advenu ne peut plus être vécu.

Régler une succession, c'est liquider les dettes parentales, car l'héritage ne peut venir compenser les carences parentales, réelles ou fantasmées. Réclamer un dû ancien nous place dans une logique de légitimité destructrice de la relation, car les enfants ne sont pas responsables des « dettes » laissées par les parents.

Cette sœur aînée n'a pas pu faire d'études, son mari et elle s'en sortent à peine financièrement. Le frère a acquis, grâce à ses diplômes, une position sociale et économique très confortable. La sœur voudrait intégrer dans le calcul du partage successoral la valeur des études faites par son frère, estimant qu'elles ont constitué un « capital culturel, abstrait, mais réel » ayant eu des conséquences sur leurs vies respectives. Elle a même calculé l'équivalent économique du soutien de leurs parents à son frère pendant ses études. Mais il ne peut y avoir équivalence entre compétences culturelles et argent, ressources intellectuelles et économiques. Quand un membre de la fratrie veut faire payer à ses frères et sœurs les dettes de ses parents à son endroit, il ne fait que s'embourber dans une position de « mal-aimé ». La mort des parents nous amène à accepter le réel de la perte, le réel de toutes les pertes présentes et passées. Elle oblige à passer à autre chose, à défaut de quoi l'avenir de chacun se trouve verrouillé. La position rigide de l'un des membres laisse peu d'ouverture possible, peu de solutions véritables, même pour les autres.

Depuis la fin de l'héritage, Claudine ne parle plus à son frère. Pendant des années elle a pris soin de leur mère tout en sachant que celle-ci n'en avait que pour son fils, plutôt ingrat, auquel elle pardonnait tout. Claudine s'est toujours doutée que leur mère donnait à Pierre de temps en temps de l'argent, en douce. Mais Claudine n'étant pas une femme intéressée, elle laissait faire. Ce qui l'a toujours blessée par contre, c'est que sa mère ne reconnaissait absolument pas ce qu'elle faisait. Elle s'en était fait une raison. Femme de devoir, fille loyale, elle n'aurait pu abandonner sa mère.

Mais lors de l'héritage, quelle ne fut pas sa surprise quand elle s'aperçut que la plupart des économies de sa mère avaient fondu au soleil, ou plutôt sur les comptes du petit frère. Elle estimait qu'elle avait été victime d'un véritable détournement d'argent. Qu'il y ait des différences, des préférences, voire des inégalités, elle avait accepté tout cela, mais que le fléau de la balance bascule définitivement vers une injustice avérée, non. Quand elle en fit la remarque à son frère, elle n'en crut pas ses oreilles : elle se fit traiter de mesquine, de calculatrice, de fille ingrate qui ne pensait qu'aux sous alors même que la dépouille de leur mère était encore chaude. Que son manipulateur de frère ose retourner à ce point la situation, qu'il la traite, elle, de mesquine, c'en était trop. Il venait de signer à la fois la fin des hostilités et du lien fraternel. Elle ne voulait plus rien avoir à faire avec lui. Elle décida de ne plus le considérer comme son frère et de couper les ponts.

« Qu'il prenne ce qu'il veut, je m'en fiche, il ne l'emportera pas au paradis, on paye toujours quelque part les injustices faites aux autres. Je veux surtout me protéger de son mauvais esprit. Ce n'est pas facile pour moi, cette décision, je perds beaucoup dans l'affaire, mais moins j'aurai de liens avec lui, mieux ça ira pour moi. »

Au décès des parents, plus que jamais, il faut savoir perdre pour gagner. Quelquefois, pour se protéger, s'épargner soi-même, pour gagner un peu de paix, il n'y a d'autres moyens que de prendre de la distance avec sa fratrie. Pour remettre le temps en marche, retrouver la liberté de sa propre vie, la perte du fraternel s'impose quelquefois. On s'aperçoit plus que jamais qu'il y a de « bons comptes » ceux qui nous libèrent et qu'il en y a de « mauvais », ceux qui nous entravent et entravent les autres.

Dans les familles recomposées, quelle légitimité ?

« C'est devant le notaire, et seulement à la mort de mon père, que j'ai découvert qu'il avait eu un fils avec une maîtresse : le ciel m'est tombé sur la tête ! Mon père qui me donnait des leçons de morale avait eu longtemps une double vie ! C'était incroyable, j'en ai voulu aussi à ma mère de n'avoir rien voulu voir, elle a une façon de se protéger qui me révolte. Bref, ça a été une révolution en moi. Quand j'ai raconté ça à mes enfants, ils ont été scotchés. En tous les cas, la pilule a été dure à avaler. Comme maintenant les enfants adultérins ont les mêmes droits que les enfants légitimes, ça a été le comble de partager un maigre héritage avec un inconnu ! J'avais été élevée comme enfant unique, je n'ai jamais appris à partager avec un frère ou une sœur, j'ai perdu beaucoup de choses au même moment.

Apparemment, il était très gêné, il est à peine plus âgé que mes propres enfants. Lui, il connaissait notre existence, il semblait désireux de tisser des liens, mais moi, je n'ai rien à voir avec lui. On n'a pas eu du tout le même père, même si c'était le même homme. »

Depuis 1972, la loi intègre dans l'héritage les enfants nés hors mariage et reconnus par le père. Si c'est une bonne chose pour ces enfants, qui déjà ont souvent du mal à vivre leur position, on peut imaginer les bouleversements pour l'enfant légitime qui n'était au courant de rien. Dans la mesure où les liens n'ont jamais existé, la question n'est pas la permanence de la fratrie, mais comment intégrer psychiquement la nouvelle image du père et l'existence de cet enfant incognito, né et élevé dans le secret, qui fait littéralement intrusion dans l'univers familial.

« J'en veux à mon père. Il aurait pu prendre des dispositions avant, faire une donation pour éviter les confrontations terribles qui se sont déroulées chez le notaire avec mes jeunes demi-sœurs, ou plutôt avec ma belle-mère. Mes parents ont divorcé quand j'avais cinq ans, ma mère n'a pas refait sa vie, mon père s'est remarié et a eu deux filles. Ça ne se passait pas trop mal. Elles sont mignonnes et, avec ma belle-mère, c'était assez correct. Sauf qu'à la succession de mon père, tout a été pour ses filles, rien – ou presque – pour moi. Les placements de mon père, je n'ai rien vu passer, ses œuvres d'art, bizarrement disparues. C'est comme si j'avais été éliminé de la vie de mon père. Je n'ai récupéré que ce que ma belle-mère n'a pas pu dissimuler.

Comment me défendre ? En l'attaquant ? Je ne me vois pas me battre avec cette femme, j'aurais l'impression d'être mesquin, de tout ramener à une question d'argent, même si je suis dans mon droit. Et puis, c'est sûrement perdu d'avance.

Elle a probablement depuis longtemps tout organisé pour m'éliminer au maximum. »

Dans les familles recomposées, les conflits se jouent davantage entre beaux-parents et beaux-enfants. La fratrie est solidaire face aux abus réels ou hypothétiques du beau-parent qui, lui-même, se met souvent en position avancée pour défendre les intérêts de ses enfants. Les rapports de parenté s'affrontent. Les revendications de légitimité étant intrinsèques à la structure des familles recomposées, les enjeux d'appartenance semblent inévitables, mais les conflits de loyauté sont peut-être plus facilement gérables, chacun reprenant place dans sa propre filiation. Cela ne va pas sans douleur, mais sans doute alors l'économique prédomine-t-il sans équivoque.

> « Après la mort de mon père, ma mère s'est remariée avec François, qui n'avait pas d'argent de côté, alors qu'elle avait reçu un bel héritage de mon père. Quand elle est décédée, et qu'il a fallu partager avec François et ma demi-sœur, j'ai eu le sentiment qu'on me volait une partie de mon héritage paternel, je me suis senti dépossédé. »

Dans cet ultime partage intervient aussi la contribution de chacun au patrimoine légué. Les lois évoluent, mais elles ne peuvent régler toutes les questions de légitimité. Encore une fois, l'égalité n'est pas vécue comme équitable. La logique de transmission dépend souvent de l'ancienneté de la structure, de l'âge des enfants du deuxième mariage : plus la recomposition est ancienne, plus les règles suivent celles des structures traditionnelles. Dans le cas contraire, on peut être davantage tenté par le « À chacun sa famille, à chacun ses biens ». Car, comme le rappelle Anne Gotman, « le remariage n'est pas l'égal du mariage : si le premier mariage est considéré comme une entreprise commune, les mariages suivants apparaissent davantage comme la conjugaison de biens propres, donc destinés à être transmis comme tels[3]. »

Thierry est mort à soixante-dix ans. Il avait un fils de quarante-sept ans, Mathieu, d'un premier lit, et une fille, Dorothée, seize ans, d'un deuxième mariage tardif avec une femme plus jeune que lui. Mathieu et Dorothée n'ont jamais vécu ensemble, cependant Mathieu invitait de temps en temps Dorothée, qui était de la même génération que ses propres filles. Il savait que son père avait réglé sa succession de son vivant, mais il ne lui avait pas donné de détails.

Devant le notaire, il apparaît que Dorothée est largement favorisée. La belle-mère de Mathieu n'y est pas étrangère. Il le comprend en partie car il était nécessaire de prévoir d'assurer les études de la « petite », d'aider sa maman qui se retrouvait désormais avec un seul salaire. Mais il estime que ses propres filles sont flouées. Il ne fait pas d'histoire, mais désormais, il sait où situer son devoir : davantage auprès de sa propre famille qu'auprès de cette famille recomposée. Il a d'ailleurs un peu ressenti à l'enterrement que chacun réinvestissait en quelque sorte son « camp ». Sa belle-mère, avec qui il avait des liens « polis » jusqu'à présent, lui a à peine adressé la parole, n'a pas embrassé sa femme, et a quasiment ignoré ses filles qui pourtant ont entouré et soutenu Dorothée. Il a plus ou moins compris cela comme une mise à distance. Et en a discuté avec sa femme qui avait perçu la même chose.

Il est presque soulagé que les choses soient claires au fond de lui. Dorothée sera la bienvenue chez lui, quand elle le voudra, ses filles pourront la voir autant qu'elles le veulent, il ne coupe pas les ponts, mais il ne se sent responsable de rien vis-à-vis d'elle. Avoir clarifié ses loyautés le soulage et le met en paix avec lui-même.

La complexité des structures familiales actuelles va sans doute augmenter encore la part de l'incalculable dans les successions, celle de l'affectif, du symbolique, mais la dégradation de la situation économique des classes moyennes risque aussi de redonner du tonus à la valeur monétaire des legs. Pendant la grande épopée du capitalisme, les individus ne comptaient pas trop sur l'héritage, et pourtant les conflits étaient inévitables. Le fait que ces biens transmis contribuent de manière non négligeable au bien-être d'une famille va attiser les disputes. Les enjeux strictement économiques de l'héritage vont peut-être prendre une place plus importante désormais.

Tout compte fait, hériter en se respectant

Évelyne en a assez : sa sœur s'est littéralement accaparée la maison dont elles ont hérité en indivision. Au début, sa sœur et son beau-frère s'y sont beaucoup investis, ils se sont chargés des travaux nécessaires, de l'entretien, des relations avec les voisins. Peu à peu, ils se sont sentis chez eux, et lui ont presque fait sentir qu'elle était en trop. Le jour où elle a voulu faire une fête pour ses enfants dans cette maison, sa sœur et son beau-frère ont protesté : « Mais tu n'y penses pas, tout va être saccagé ! » Évelyne s'est fâchée. Les sœurs ont été en froid un petit moment, puis elles ont repris contact, mais cela reste très douloureux pour Évelyne, au point qu'elle n'y va plus du tout.

« Je suis très partagée, ma sœur m'a proposé de me racheter ma part, mais je ne sais pas si je veux me défaire de la maison, ce serait comme perdre mes parents une deuxième fois. En même temps mon mari me pousse vers cette solution, car il voit bien que je suis embourbée dans cette succession, et comme j'aime bien la Provence, avec l'argent récupéré on pourrait s'acheter une jolie maison là-bas. Je pense finalement que je vais lâcher, j'ai envie de respirer et de ne plus entendre parler de tout ce passé. »

L'héritage est tout de même un don censé améliorer notre vie. Arrive un moment où il faut déterminer quels sont les « bons comptes » à faire, c'est-à-dire ceux qui permettront d'être un peu plus en paix avec soi-même. Ne nous leurrons pas : retrouver de la légèreté, de la liberté suppose de lâcher prise sur certaines choses. Ce qui ne signifie pas se laisser faire. Il peut y avoir de bons combats à mener.

Pour ne pas se tromper de bataille, il importe avant tout de distinguer l'affectif, le symbolique et l'identitaire dans l'héritage et ce qui est purement économique, qui ne s'aborde pas de la même manière. Régler sur ce plan ce qui est d'un autre ordre ne mène qu'à des impasses. Non pas qu'il faille se désintéresser de l'aspect financier ; au contraire il est essentiel, dans un premier temps, de veiller à respecter le mieux possible un partage économiquement égalitaire pour ne pas garder de regrets et le sentiment d'avoir été lésé que l'on risquerait de transmettre à nos enfants. Il faut prendre position, et défendre ses droits, même si certains font peser une lourde culpabilité sur nos épaules. Une fois acquis ce partage presque égal, reste à le vivre comme un partage équitable, ce qui est, évidemment, plus difficile et mobilise d'autres compétences et d'autres ressources.

Dans le registre du non-mesurable, non-calculable, qui prend souvent le devant de la scène, une deuxième distinction s'impose. Il s'agit de dissocier le bien hérité de sa charge affective, émotionnelle et surtout symbolique, de le détacher de ce qu'on projette sur lui. Pour alléger le poids de la succession, allégeons celui de nos interprétations. On le pourra d'autant mieux qu'on sera au clair avec notre position par rapport à notre famille d'origine. En refaisant le conte, on peut alléger la souffrance des comptes.

En ce moment bouleversant, il semble important d'être le plus possible en accord avec notre conscience morale. À présent que les parents ne sont plus là pour tenir le fléau de la balance, il appartient à chacun de s'approprier le souci de la justice. Dès lors qu'on est en accord avec soi-même, on saura clarifier ce qu'on peut lâcher et ce qu'on va défendre dans la succession. Être juste, c'est peut-être avant tout ne pas être en porte-à-faux avec soi-même, et déterminer dans nos actes et nos positions la frontière entre ce qu'on considère comme bien et comme mal.

Ce frère et cette sœur avaient toujours été comme chien et chat. Elle était la « fille de son père », lui le « fiston de sa maman », les parents étant sans cesse en bagarre. Or, à la mort de leur mère, il se passa une chose étonnante : ils se rapprochèrent. Avaient-ils lu les histoires mythiques d'Esaü et Jacob, de Joseph et ses frères ? En tous les cas, au moment du partage des biens, au moment de vider l'appartement, nulle bagarre. Oh, le frère avait bien vu la sœur détourner certaines choses, mais il n'avait pas envie d'envenimer la situation, il laissa faire. Le fait même de se côtoyer pendant toute cette période de deuil, de paperasserie, leur donna enfin l'occasion de se parler et, finalement, de se découvrir et de s'entendre.

> Ils ne s'étaient jamais regardés vraiment, ils ont désormais plaisir à échanger leurs souvenirs d'enfance, et s'aperçoivent à quel point ils ont été influencés par des parents qui, tout en disant vouloir que leurs enfants s'entendent, s'arrangeaient inconsciemment pour attiser jalousie et rivalité. Bref, ils en rient de bon cœur. Et c'est un nouveau récit de leur enfance qu'ils réécrivent cette fois-ci à deux voix. La disparition des parents leur a permis de mettre en œuvre une solide amitié, parce qu'elle leur a ouvert un nouvel horizon fraternel.

On voit aussi des frères et sœurs se rapprocher, comme pour se tenir chaud, traverser ensemble la solitude devant leur nouvelle situation d'orphelins, car c'est bien ce qu'on est, quel que soit l'âge auquel on perd ses parents.

> « Je n'ai plus que mon frère au monde. »
>
> « Quand je vois ma sœur, je retrouve en elle des intonations de ma mère, ça me fait du bien. »
>
> « Il a aussi mauvais caractère que notre père, mais au moins avec lui, on peut en rire ! »

Le frère, la sœur est le témoin de notre enfance. Avec lui, elle, on peut retourner à cette source intarissable de rêves. On peut, même si on se tapait dessus à cette époque, refaire le monde comme au moment de notre adolescence. Le partage alors des souvenirs, des récits, est une richesse infinie. Pour parvenir à cette entente, il est évident qu'il y a des pertes à faire. Il faut se préparer à laisser pour compte les préférences du passé, et à accepter les différences qu'avaient pu faire les parents. Plus on aura travaillé cela en amont, mieux on y parviendra au moment des deuils douloureux.

Après la disparition des parents, une nouvelle équation du fraternel se met en place qui détricote la première et la remonte en sens inverse. Il s'agit de vouloir s'entendre, accepter le partage, savoir perdre… on a tout à y gagner. Une dernière chance nous est donnée de savourer ce qu'on reçoit de nos parents, même si cela ne correspond pas à ce qu'on espérait, de sortir aussi d'une position infantile, en recevant les cadeaux de la vie avec le sourire au lieu de ne voir que les manques. Cela nous permet d'être véritablement dans une position de gratitude, d'être reconnaissant, c'est-à-dire d'accéder au niveau 5 du parcours de la reconnaissance.

Ne pas se déchirer entre frères et sœurs, c'est peut-être un des derniers gestes de respect envers nos parents. Faire la paix avec sa fratrie, avec sa famille d'origine, fait partie d'un processus de réconciliation avec soi-même, qui transforme le rapport à la vie.

À la mort de ses parents, n'est-ce pas à la vie que l'on doit rendre des comptes ? N'est-ce pas à ce moment-là que nous sommes le plus responsables devant l'avenir ? Une famille ne peut maintenir une cohésion que si elle parvient à intégrer les forces de progrès qui l'amènent à évoluer. On ne peut entraver l'histoire d'une famille qui est faite de la transformation incessante de ses héritages, de ses traditions.

8
De tendres règlements de comptes

« On ne fait qu'un, oui, mais lequel ? »

Il était une fois un prince et une princesse... Après bien des aventures, ils se marièrent et eurent beaucoup d'enfants. Du conte de fées à la réalité, l'atterrissage est difficile. La période fusionnelle constitue un temps fondateur indispensable au couple. On le sait, les amoureux sont seuls au monde, rien d'autre ne compte que l'élu(e) de son cœur qu'on est pressé de revoir, car on ne se sent exister qu'auprès de lui (d'elle). Vive les portables et Internet qui nous permettent de rester en contact malgré l'absence, et qui viennent apporter une note de soleil dans la longue journée de travail loin l'un de l'autre. Le bonheur fait planer, on éprouve une sensation de plénitude, on se sent plus fort, invulnérable. Cette période enchantée dure plus ou moins longtemps, et revient régulièrement apaiser les amours après les tempêtes, elles aussi inévitables, de la vie de couple.

Pour autant, les comptes sont-ils absents du temps de l'idylle ?

« Dès notre première rencontre, sa manière de me regarder sans me voir m'a interrogée, mais très vite, il s'est montré tellement charmant et drôle que je n'ai pas voulu m'arrêter sur ces mauvaises pensées. Je sortais d'une histoire tellement triste que j'avais surtout besoin de quelqu'un qui me fasse rire. Maintenant je sais qu'il est incapable d'aimer vraiment quelqu'un. Il m'en a fallu, du temps, pour l'admettre ! »

« Dès le premier jour de notre voyage de noces, elle a critiqué ma famille. On avait tout pour être heureux, mais elle revenait sans cesse sur des bricoles qui ne lui avaient pas plu pendant le mariage. J'ai réussi à la calmer, mais ensuite elle a remis ça souvent. En fait, elle n'a jamais vraiment accepté mes origines, elle m'en voulait, mais j'étais aveugle, je l'aimais trop. J'aurais dû me méfier devant ses réactions disproportionnées… »

« Quand il est venu vivre chez moi, j'ai bien vu, tout de suite, qu'il ne bougeait pas le petit doigt et qu'il était même un peu colérique quand le repas n'était pas prêt à l'heure qui lui convenait. J'avais bien repéré ses tendances à être égoïste, mais je savais qu'il avait eu une enfance difficile, qu'il avait beaucoup souffert ; et à l'époque je croyais naïvement qu'avec tout l'amour que j'avais pour lui, ça s'arrangerait. J'avais un tel besoin de donner que j'étais prête à tous les sacrifices. Je trouvais ça touchant et je me moquais gentiment de lui quand il faisait l'enfant gâté. En fait, tout s'est vraiment dégradé à la naissance de notre fille, il n'a pas supporté que je ne sois plus « sa » mère ! Je pensais pouvoir le changer mais je me suis heurtée à un mur. »

Quand on aime, tout compte ! Selon les lois du cœur, qui relèvent du passionnel, de l'irrationnel, de l'affectif, de l'émotionnel, du symbolique, on compte les regards, les sourires, les absences, les cadeaux, les renoncements, les frustrations, les dépenses de l'autre… C'est dans l'après-coup qu'on mesure à quel point la mémoire dormante de chacun tient livre ouvert, et ne perd pas une miette de ce qui se trame dans ces échanges les plus tendres et les plus passionnels. Même dans cette période fusionnelle, une part de nous très perspicace reste vigilante à des choses dérangeantes. L'amour ne rend pas si aveugle que cela, même si une autre part de nous veut les ignorer : « Ça passera, je vais réussir à le (la) changer. » Quelle illusion de croire qu'on peut changer l'autre et qui vous amène parfois jusqu'à douter de soi : « Je me raconte peut-être des histoires. » On s'en voudrait presque de penser du mal de notre chéri(e). Naïvement, on laisse faire sans imaginer que ce qui se met en place peut venir miner la plus belle des idylles. Car les comptes qui se trament en sourdine vont comme des termites ronger les assises du couple. Attention à ne pas se réveiller trop tard. Moins on explicitera les comptes, plus ils seront menaçants pour le couple.

Faut-il alors préconiser de tendres règlements de comptes ? Oui, sans aucun doute. Les faire régulièrement a une fonction régulatrice importante pour qu'un couple, qu'il soit hétérosexuel ou homosexuel, s'entende le mieux possible. Cela participe à son équilibre et peut éviter de tomber dans une spirale plus virulente. C'est à chaque fois un signal important, un appel souvent vital au changement. Ces tendres règlements de comptes permettent aux deux partenaires de s'ajuster petit à petit l'un à l'autre. S'ils sont entendus, les accordages mutuels peuvent se mettre en place progressivement sans forcément susciter de crise.

Que la période fusionnelle soit inévitable et utile, c'est certain. Mais à condition d'en sortir ! « Toi et moi, on ne fait qu'un » est un leurre dangereux. « On ne fait qu'un, oui, mais lequel ? » dit un proverbe anglais. Les Anglais sont peut-être moins romantiques que nous, mais bien plus clairvoyants. Cette illusion de ne faire qu'un élimine forcément la part de l'autre. « Dès qu'il y a de l'un, il y a blessure, traumatisme. L'un comme l'autre, l'un à la place de l'autre… l'un oublie de se rappeler à lui-même », a dit Jacques Derrida dans une interview[1]. S'oublier dans l'autre, se donner entièrement à l'autre, c'est prendre le risque d'être absorbé, d'être réduit à néant. L'un existe, l'autre étouffe ; l'un gagne, l'autre perd et se perd ; l'un donne sans s'y retrouver, l'autre ne se nourrit même pas de ce qu'il reçoit ; l'un domine, l'autre est englué. Imaginer qu'on ne fait qu'un, c'est valider implicitement le fait que l'un puisse être soumis au pouvoir de l'autre. Conclusion : le plus souvent, les deux sont malheureux, parce que enfermés dans un jeu relationnel qui attribue de manière rigide à l'un la place du fort, solide, qui n'a pas le droit à la faiblesse et à l'autre le rôle du fragile, dépendant, qu'il faut protéger. Rien n'est plus sclérosant !

Une goutte d'eau finira forcément par faire déborder le vase. Un mot de trop et les règlements de comptes feront resurgir du passé les erreurs, les failles, les souffrances qu'on avait crues sans importance, qu'on n'imaginait même pas avoir remarquées. Elles éclatent, alors, d'autant plus vives. La mémoire dormante qui se réveille additionne les insatisfactions, les brimades, les blessures, et présente la facture. Plus on aura attendu, plus les comptes seront difficiles à régler. Réveillée en sursaut, cette mémoire dans laquelle s'accumulent frustrations, humiliations, incompréhensions risque de faire valoir surtout l'esprit de vengeance. Autant les tendres règlements de comptes visent une réconciliation, autant, s'ils deviennent virulents, ils constituent les prémices de la rupture.

Au cours des tendres règlements de comptes, on désire mettre en mots nos émotions et être entendu.

> « À un moment donné, j'ai eu bien du mal à lui faire comprendre que j'étouffais, que j'avais besoin de moments à moi, toute seule. Au début, il pensait que c'était contre lui, que je ne l'aimais plus. Il a fini par entendre que cela serait bénéfique pour nous deux. »
>
> « Elle et moi, on n'a pas le même rythme. On se disputait souvent à cause de cela, jusqu'au jour où on a décidé qu'on devait faire certaines choses chacun de son côté. Depuis, c'est beaucoup mieux. On fait des choses ensemble, mais on en fait d'autres chacun de son côté. »

Pour être une entité épanouissante, le couple a besoin de trouver la distance qui convient à chacun. L'accordage de deux êtres différents est un long exercice de patience. Être un couple uni, solide, ne signifie pas faire tout ensemble, tout le temps. Faire couple, c'est parvenir à être l'un avec l'autre, se reconnaître mutuellement dans ses différences irréductibles.

Faire les comptes régulièrement constitue un excellent exercice de différenciation au sein du couple. C'est un véritable apprentissage du dialogue. Il faut arriver à dire ce qui est bon pour soi et à entendre ce qui est bon pour l'autre. Car le « On se comprend sans se parler » ne dure qu'un temps. Les silences répétés deviennent rapidement des non-dits dans lesquels s'enracinent les malentendus destructeurs et les contentieux ravageurs. Nul ne peut deviner des besoins qu'on a souvent du mal à identifier soi-même.

> « Au début, quand ça n'allait pas, il me faisait la tête, je ne savais pas pourquoi, je culpabilisais. Un jour j'ai explosé, je lui ai dit : "Ça suffit, explique-moi ce qui ne va pas..." Évidemment, comme dans sa famille on ne parle pas, il ne savait même pas ce qui le gênait, on s'est engueulés puis, petit à petit, je l'ai aidé à mettre des mots sur son malaise. Et je crois que ça lui a fait du bien. »

Aider l'autre à dire, à démêler ce qui ne va pas, c'est une grande preuve d'amour.

Les tendres règlements de comptes permettent de mettre en évidence les lignes de faille qui travaillent silencieusement le couple. Ils nous conduisent dans les soubassements qui structurent le lien mais peuvent tout aussi bien le ronger. Car derrière l'amour le plus tendre se déploient des pulsions, des désirs, des projections, des angoisses, des résistances, un inconscient vigoureux qui viendra sournoisement nous faire dire tout le contraire de ce qu'on aurait voulu dire, nous faire vivre ce que pourtant on s'était juré de ne pas vivre.

> « Je voudrais tellement qu'il m'aime, mais je fais tout pour le décourager, je ne comprends pas pourquoi. »
>
> « Je vis avec la plus douce des femmes, et pourtant je ne suis pas sympa, je voudrais changer, et je n'y arrive pas. Si elle me quitte un jour, pourtant, je m'effondrerai. »

Les tendres règlements de comptes permettent de clarifier ce qui agit à la fois en nous et contre nous. La vie à deux, même à travers plusieurs histoires successives, peut permettre de dénouer des conflits internes, ouvrir certaines de nos prisons intérieures, nous libérer des poids que l'on traîne. Ils peuvent être un guide utile pour prendre conscience de ces enjeux implicites qui peuvent miner la vie.

1 + 1 = 3 : l'arithmétique du couple

> « J'ai toujours entendu mes parents se disputer, alors moi, au début, je ne voulais pas qu'il y ait un mot plus haut que l'autre entre nous. Lui, au contraire, vient d'une famille où on ne se gêne pas pour dire ce qu'on pense. Il a fallu qu'on mette chacun un peu d'eau dans notre vin ! Lui a appris qu'il n'était pas bon de dire des choses qui dépassent quelquefois notre pensée. Et moi, j'ai appris un peu plus à me faire entendre. »
>
> « Après mes différents échecs en amour, j'avais du mal à accorder ma confiance, je considérais tous les hommes comme des menteurs. Il lui a fallu beaucoup de patience pour qu'il puisse me montrer sa bonne foi. »
>
> « Pour moi, le mariage, c'est sacré, je suis croyant, j'ai besoin de passer par une bénédiction. Elle s'en fiche complètement, elle ne comprenait pas pourquoi je tenais à ce qu'elle appelle un « simulacre ». Au début, elle avait du mal à se projeter dans un avenir, alors que moi, je voulais fonder une famille. Pour elle, le couple c'était d'abord une aventure à deux, pour moi, il a un sens surtout si on construit une famille. »

Chacun arrive avec une idée particulière de ce que doit être un couple, un compagnon, un mari, une amoureuse, qui n'est pas la même que celle de son partenaire. Ces modèles, en partie implicites, ont une importance considérable dans l'entente et l'évolution du couple. On peut partager des valeurs, être d'accord sur de nombreux points, et pourtant avoir une représentation divergente du couple, de la relation au sein du couple, qu'il soit hétérosexuel ou homosexuel : « Mon ami n'a pas envie de vivre comme un couple hétéro, moi, au contraire, je me vois bien m'installer avec lui et, pourquoi pas, fonder une famille homoparentale. Autant j'ai besoin de me projeter, autant ça l'angoisse et il aime vivre au jour le jour. »

Chacun apporte donc au sein du couple sa « carte du monde », et il faut compter avec elle. C'est le partenaire clandestin du couple. Ainsi, le couple ce n'est pas la fusion : 1+1 = 1 selon l'idée que « Toi et moi on ne fait qu'un » ; ce serait plutôt : 1+1 = 3. Il est composé de « toi », de « moi », et de l'idée du couple[2]. Sur ce plan, les tendres règlements de comptes vont petit à petit permettre au couple de mêler les points de vue, de les travailler afin que l'idée que chacun s'en fait évolue, se transforme et devienne un modèle coproduit (et non plus le sien que l'on cherche à imposer) dans lequel tous deux finiront par se reconnaître.

Aujourd'hui, le couple est soumis à deux lignes de tension antagonistes. D'un côté, on veut construire ensemble, vivre ensemble parce qu'on s'aime, mettre en commun ses désirs. C'est le lieu qui permet de fonder le « nous », censé représenter une entité dans laquelle chacun se reconnaît. Et d'un autre côté, soumis à des forces individualistes, le couple doit respecter les aspirations de chacun à se réaliser soi-même. Il est traversé par une forte revendication égalitaire entre « toi » et « moi ». « Toi » et « Moi », on veut vivre dans un « Nous » qui ne nous enferme pas trop. Entre le « tu » et le « nous », le « je » cherche à ne pas se laisser absorber. Il s'agit d'être ensemble tout en gardant une certaine liberté. On attend que le « nous » soit suffisamment rassurant pour que le « je » s'épanouisse grâce à l'amour du « tu ». La représentation de ce « nous » constitue un véritable absolu, c'est en quelque sorte le surmoi du couple, une instance interne qui va déterminer la place du « je », du « tu », la manière de fonctionner du « nous ».

Alors, quelle différence y a-t-il entre règlements de comptes, conflits et crises ? Les premiers, au stade « tendre », peuvent permettre au couple dans des gestes de la vie quotidienne des micro-changements apparemment anodins mais qui peuvent transformer des jeux relationnels. De petits ajustements : l'un fait plus ceci, parle un peu plus de cela, prend un peu plus de temps pour soi, participe un peu plus à l'entretien de la maison ; l'autre passe moins de temps au travail, voit moins souvent ses parents. Il s'agit de trouver un équilibre dans le partage de quelque chose qui en tant que tel n'est pas l'objet de désaccord, de déplacer un curseur, d'introduire dans le concret des changements qui ont des conséquences sur la relation. Cela reste dans le registre des évolutions possibles pour chacun sans profonde remise en cause.

Le conflit, c'est, au contraire, l'expression d'une opposition, d'un désaccord, à propos de valeurs, de projets de vie.

> « Je veux acheter un appartement en ville, elle veut vivre dans un pavillon à la campagne… »
>
> « Je veux continuer à travailler après la naissance de mon troisième enfant, mon mari voudrait que je m'arrête. »
>
> « On ne peut pas avoir un enfant, je préfère faire des FIV, lui voudrait qu'on adopte tout de suite. »

Le conflit appelle un choix et donc pour l'un des deux un renoncement, un déchirement, tout au moins un compromis. Si c'est toujours le même qui a l'impression de céder, l'opposition sera encore plus forte. Un règlement de comptes peut permettre de sortir du conflit, l'un apprenant à céder un peu plus, l'autre parvenant à s'imposer davantage. Le curseur permet à chacun de changer de position.

Quand il y a crise, c'est que les changements nécessaires se heurtent aux limites de l'un ou de l'autre. Ils remettent trop profondément en cause son identité, ses valeurs, son sentiment d'exister. Les besoins de l'un se heurtent à l'impossibilité de l'autre de changer. Soit on ne peut sortir de cette impasse et cela peut aller jusqu'à la rupture. Soit ils pourront chacun faire des pas pour peu à peu transformer leurs attentes et sortir de la crise.

Les petits règlements de comptes n'empêcheront pas le couple de buter sur des obstacles. Mais plus il aura l'habitude de s'autoréguler, mieux les processus de sortie de crise se mettront en place. Les petits règlements de comptes permettent de la souplesse, une certaine mobilité dans le couple. De la même manière, les conflits ne fragilisent pas toujours un couple, au contraire, il peut se renforcer au fur et à mesure qu'il les dépasse.

Liens de sang, liens de cœur, liens d'argent

Après la fusion, la confusion ! « Tout ce qui est à moi est à toi », dit-on souvent, mais quel leurre !

> « Ma femme a hérité d'une belle maison familiale, mais je ne supporte pas d'y passer les vacances, je me sens écrasé par le poids de son histoire familiale, je ne m'y sens pas chez moi. »

« Je gagne moins que mon ami, ce n'est pas qu'il soit regardant, non, on a même ouvert un compte commun, mais je ne me sens pas à l'aise, je n'ose pas trop dépenser cet argent, j'ai l'impression que je n'y ai pas droit. Et puis je me sens un peu dévalorisée. Dans la société dans laquelle on vit, on n'échappe pas au "Tu vaux ce que tu gagnes". J'ai peur que ça finisse par créer un déséquilibre entre nous. »

« C'est sûr, on travaille tous les deux, j'ai un bon salaire, elle aussi, mais le train de vie qu'on a, c'est grâce à l'argent que ma femme a reçu de son père, l'appartement dans lequel on vit est à son nom à elle. Je me sens dépendant, j'ai l'impression que je n'ai rien à moi, parfois je lui en veux, alors qu'elle ne me fait rien sentir du tout. C'est moi qui vis tout cela assez mal, je crois que je suis vexé, même atteint dans mon orgueil d'homme, c'est peut-être idiot mais c'est comme ça. »

« À la naissance de notre deuxième enfant, on a décidé d'un commun accord que j'arrêterais de travailler, parce qu'avec le petit salaire que j'avais ce n'était pas intéressant, mais maintenant ça me pèse, surtout quand ça ne va pas entre nous. Je dépends trop de lui, si je veux partir, si on se sépare, comment je fais ? »

Même quand le partage des revenus, des dépenses se fait en bonne intelligence, l'argent est loin d'être un élément neutre dans le couple. Si l'amour en est de nos jours le fondement, l'argent y a une place non négligeable. Sa gestion n'est pas toujours aisée. Très tôt, quand on se met en ménage, se pose la question du « Qui paie quoi ? », « Dans quel appartement on va vivre ».

« Quand je me suis installée chez lui, je me suis rapidement sentie chez moi, j'ai investi les lieux, j'ai décoré l'appartement selon mes goûts, il en était ravi. Alors le jour où on s'est disputés pour la première fois, quand il a osé me dire que je n'étais pas chez moi, ça m'a blessée d'une façon terrible ! »

« Elle a son studio à elle, mais elle vient de plus en plus chez moi. Par contre ici elle refuse de s'occuper de quoi que ce soit, elle ne fait jamais les courses, elle n'a jamais apporté un gâteau, elle ne participe en rien. Je m'en fiche, mais en même temps, ça me soulagerait un peu de la voir apporter sa contribution. »

« On ne vit pas ensemble. Au début je lui faisais plein de cadeaux, c'est toujours moi qui payais le restau, les sorties, ça me faisait plaisir, mais quand j'ai vu qu'elle ne m'avait rien offert pour mon anniversaire, j'ai un peu arrêté les frais. Il ne faut pas exagérer tout de même ! »

Il n'y a pas de modèle unique de vie de couple et de gestion de l'argent. Dans l'un, chacun a un compte bancaire personnel, et la participation aux frais de la famille est plus ou moins égalitaire. Dans l'autre, il y a trois comptes : celui de madame, celui de monsieur et un compte joint. Chez un autre encore, tout est mis en commun… Mais quelle que soit l'organisation, les discordes sont-elles évitables ? L'indépendance financière des femmes, la revendication égalitaire, leur liberté sont très récentes, et peut-être insuffisamment intégrées. N'oublions pas qu'il a fallu attendre 1942 pour que les femmes gagnent le droit d'ouvrir un compte bancaire à leur nom, et 1970 pour qu'elles puissent le faire sans l'autorisation de leur mari ! Libres sur le plan juridique, enfin ! Mais le couple reconnaît-il réellement cette indépendance ?

« Je gagne bien ma vie, mais parfois, quand je dépense trop pour la maison, la famille, il arrive à me culpabiliser, comme si c'était lui qui devait me dicter ma conduite. »

> « Je suis indépendante financièrement, mais il voudrait tenir, lui, les cordons de la bourse. »

Que l'argent soit un des terrains favoris des règlements de comptes, et en tout cas l'objet de discussions dans un couple, ce n'est pas étonnant.

> « Chez moi, on ne comptait pas, mes parents avaient une très belle situation financière, j'avais ce que je voulais. On ne s'est jamais privés de rien. J'ai bien eu du mal au début avec mon ami : il fallait tenir un budget, arbitrer nos achats. Je lui en ai beaucoup voulu ! »

L'argent nous place devant une réalité, et impose des restrictions. On peut le « faire payer » à l'autre, surtout si c'est toujours le même qui renonce. Quel couple a pu éviter les remarques grinçantes telles que « Encore un pull ! Tu ne sais plus où les mettre » ou « Sors-les, tes sous, ne fais pas le radin ! ».

> « L'argent qu'il gagne, je n'en vois pas la couleur, il le dépense dans son matériel électronique, et quand je veux qu'il participe à l'achat d'un canapé, il faut se bagarrer. »
>
> « Il n'est pas d'accord pour payer pour l'entretien des enfants, leurs loisirs, le judo, des vêtements plus ou moins à la mode, alors que moi, j'achète d'abord pour eux avant de penser à moi. »

Dans l'intimité, l'argent cristallise des enjeux affectifs, identitaires, existentiels. Derrière les disputes à propos des dépenses se cachent là encore des revendications complexes, se nouent des jeux relationnels souvent douloureux. Parler d'argent dans la relation amoureuse n'est pas très romantique, mais à ne pas vouloir en mesurer l'impact, on risque de se faire rattraper par lui de manière brutale. Mieux on décodera les oppositions à ce propos, plus on se donnera de chances de désamorcer les oppositions profondes. « Son apparente neutralité, sa froideur arithmétique cachent l'irrationnel et la passion, la subjectivité et l'affectif... Si l'on n'y prend garde, l'argent peut devenir un instrument d'oppression, voire de chantage et de manipulation[3]. » Ce qui se joue derrière l'argent, c'est la prise de pouvoir, la possession, la dépendance, le sentiment de « se faire avoir », d'être considéré comme une « quantité négligeable » si, par exemple, on en ramène peu ou pas. Il révèle aussi la difficulté de recevoir, de se sentir redevable. L'argent, c'est un objet concret, tangible, on peut le revendiquer plus aisément que de la reconnaissance, on peut le mesurer plus facilement que l'affection, mais les tensions qu'il suscite dans l'intimité parlent avant tout des blessures, des souffrances, des fragilités, des renoncements trop douloureux, si difficiles à dire. Tout en étant un facteur potentiel de cohésion du couple, il est souvent vécu comme une ligne de brisure qui met en évidence sa vulnérabilité.

En réalité, l'argent est très lié à notre système de valeurs. Les oppositions dans son usage expriment souvent des différences de points de vue sur ce qui est important pour un homme ou pour une femme. Générosité, égoïsme, compensation, libération, nos dépenses parlent pour nous. Mais nous ne savons pas toujours quelles valeurs nous mettons en jeu à travers notre rapport à l'argent, peut-être parce que nous en avons hérité sans en être conscients ; elles nous imprègnent sans qu'on n'ait pris le temps de les clarifier. Elles semblent, en grande partie, passer à travers les mailles de la transmission des liens de sang et viennent polluer particulièrement les liens de cœur, d'autant plus que l'argent reste un sujet tabou par excellence. En consultation, on parle plus facilement de la sexualité que de l'argent du ménage. On évoque encore moins la place de l'argent dans sa famille d'origine qui pourtant garde longtemps son pouvoir d'influence dans le couple.

> « Chez moi, explique Julien, on n'a jamais jeté les restes. Je ne peux pas supporter quand Mélanie jette de la nourriture ! » Dans la mesure où Julien se reconnaît davantage dans le rapport à l'argent de sa famille d'origine, du coup le « chez moi », ce n'est plus ici, avec Mélanie, mais là-bas, avec ses parents. Le rapport à l'argent brouille le processus d'appartenance au couple, son système d'alliance. Par rapport à l'argent, on reste longtemps allié à sa famille avant de le devenir à son partenaire.
>
> « Avec mes parents, on était plutôt des cigales, on dépensait quand l'argent rentrait et on se serrait la ceinture quand il se faisait plus rare, j'ai des souvenirs inoubliables. Quand je me suis mise en ménage avec Sébastien, lui, il est plutôt fourmi, inutile de vous dire à quel point on était en désaccord sur presque tout. »

Même quand le cœur bat à l'unisson, le porte-monnaie regarde encore longtemps du côté des parents. Ce qui est une manière de ne pas être totalement autonome par rapport aux familles d'origine. Comme si la relation à l'argent était une des dimensions de l'héritage qu'on avait le plus de mal à transformer. Les tendres règlements de comptes peuvent permettre à chacun de se défaire de l'emprise du modèle parental, être de précieux agents d'émancipation. Tant que le couple n'a pas co-construit son propre modèle de rapport à l'argent, les valeurs de la belle-famille restent prégnantes.

Cela constitue une brèche dans l'intimité du couple, avec un risque de tensions. Les familles gardent ainsi une position symbolique de tiers, de juge, dangereuse car elle laisse peu de place à la construction de l'absolu du couple. Autant dans une fratrie la présence d'un tiers garantit la possibilité de justice, autant là la justice ne peut s'instituer que si le couple parvient à co-construire ses propres référents. Le travail qu'il a à faire par rapport à l'argent est d'ailleurs très symptomatique de ses processus de construction.

L'union de deux êtres, venant de deux mondes différents même s'ils font partie d'un même milieu culturel, constitue un véritable choc de culture, a fortiori dans les cas de mixité. Lors de la rencontre amoureuse, le couple n'a pas encore d'histoire, pas encore de passé en tant que tel, tout s'inaugure. Cela ne veut pas dire que chacun arrive vierge, mais bien au contraire chargé d'amour, d'attentes, d'espoirs, le cœur encombré par la névrose familiale, le corps entravé par ses peurs, plus ou moins prêt à s'ouvrir au plaisir. On a beau être amoureux, on n'en reste pas moins l'enfant de son père, de sa mère, un frère, une sœur, imprégné de sa culture d'origine. Bref, l'histoire du couple se tissera à mesure que chacun transformera ses héritages personnels, remaniera son passé. Et ses deux membres construiront ensemble leur propre système de valeurs. En s'émancipant par rapport aux familles d'origine, le couple tisse son identité spécifique, configure le territoire de son intimité. Il ne s'agit pas d'être d'accord sur tout, au contraire : le fait que chaque partenaire ait son propre rapport à la vie, à l'argent, au plaisir, nourrit leur complémentarité à tous deux ; mais de rendre explicites les valeurs auxquelles on tient, et de les faire accepter de la même manière qu'on accepte celles de l'autre, si tant est qu'elles soient compatibles. D'où la nécessité de faire des compromis, de nuancer ses positions de départ afin d'offrir à chacun un lieu symbolique où il se sent « chez lui ». Rien n'est plus douloureux que de se sentir étranger à son propre couple, car cela amène à s'absenter de soi, de la relation. Plus le couple, entre tradition et trahison, construira son propre système de valeurs, plus il sera un lieu de vie agréable.

Néanmoins, des lignes de fond idéologiques viennent de bien plus loin que la seule histoire familiale. La recherche de justice ne peut faire l'économie d'une réflexion sur ces héritages encore bien plus enfouis que les héritages familiaux.

Les « injustices ménagères »

Devant le peu d'évolution du partage des tâches ménagères, dans les dernières décennies, et ce malgré les revendications égalitaires, François de Singly[4] a voulu comprendre quelles justifications les femmes donnaient elles-mêmes à leur plus grande implication domestique. Prenant appui sur les thèses de Bourdieu, à savoir qu'« une inégalité ne peut se produire et se reproduire que si et seulement si elle est recouverte par une légitimité qui la justifie ou plus précisément qui déplace le point de vue », il souhaitait aller plus loin que la seule explication de la domination masculine.

Si on évoque dix-huit heures de travail ménager hebdomadaire environ, *contre* trente-trois heures, tout le monde pourra deviner quelle est la répartition hommes-femmes. Mais si on dit que 61 % des femmes estiment ce partage juste pour leur partenaire et juste pour elles, qu'elles ne sont que 35 % à estimer cela injuste pour elles, et qu'elles sont 4 % à considérer que c'est injuste pour le partenaire, cela peut surprendre. Du côté des hommes ? 68 % estiment que leur participation à hauteur de dix-huit heures est juste pour les deux, 28 % tout de même que c'est injuste pour leur partenaire, et 4 % que cette contribution est injuste pour eux. Ainsi le travail ménager hebdomadaire nécessite environ cinquante et une heures. Que les femmes qui en assurant pratiquement les deux tiers trouvent cette répartition juste mérite réflexion.

Comment se fait-il que ces inégalités patentes ne génèrent pas un sentiment d'injustice plus vif ? Inégalité et injustice ne se recoupent pas. Le sentiment d'équité n'est pas calqué sur un calcul strictement arithmétique. Cela ne veut pas dire pour autant que le travail ménager se fasse toujours de gaieté de cœur. On râle, et en même temps cela ne semble pas si injuste. Le plus difficile à supporter pour les femmes, c'est que ce travail a la fâcheuse caractéristique de demeurer invisible, « tout naturel » quand il est effectué par elles, mais qu'il est considéré comme un « véritable exploit », valorisé quand il est fait par un homme. Ces décalages deviennent insupportables quand les hommes – en plus – veulent contrôler, se permettent de faire des critiques, prétendent organiser, diriger le travail effectué par leurs compagnes. En un mot, quand ces messieurs brillent par leur manque de respect. « Mais arrête un peu, tu en fais trop ! » : parmi les phrases assassines, celle-ci a une place de choix. Non seulement les femmes ne sont pas aidées, mais en plus, quand elles font le travail, elles sont considérées comme des maniaques. Le pire, c'est qu'à force d'entendre : « Tu ne crois pas que tu devrais faire comme ci, comme ça… » lancé par un homme plongé dans son ordinateur, quelquefois, cela ne fait même plus réagir.

La ligne de rupture se situe autour de la valeur symbolique de ce que les femmes mettent dans leurs gestes et qui évidemment est loin d'être comprise par les hommes.

> « Je fais ça pour le confort de la famille, pour que la vie soit plus agréable à la maison pour lui et les enfants. Il ne se rend compte de rien, ni des efforts que je fais ni que pendant ce temps-là je n'ai pas d'avancement dans ma carrière. »

Toute l'ambiguïté est là. Par le travail ménager, les femmes expriment leur désir de « prendre soin » de la maisonnée, elles ont envie de rendre la vie plus facile à tous. Comme elles sont plus exigeantes sur le soin, elles l'assument en donnant à des tâches prosaïques une valeur ajoutée, une valeur affective, comme autant de preuves d'amour. Elles y inscrivent l'affection pour leurs enfants et leur compagnon. Faire le ménage, c'est ménager le couple et la famille.

La construction du foyer, le soin du cocon familial leur incombent encore en large part. Pour faire plaisir, les femmes n'hésitent pas à donner de leur temps.

> « Si je fais tout cela, c'est pour qu'on puisse profiter ensemble du week-end, de nos temps libres. Sinon, ils sont bouffés par les corvées. »
>
> « Ce n'est pas de faire qui est le plus coûteux, c'est d'anticiper tout ce qu'il y a à faire. C'est la charge en tant que telle, la responsabilité. Je suis au travail et il faut penser au rendez-vous chez l'ORL, à la nounou, au restaurant à réserver pour passer une soirée en amoureux. Alors, quand je sais que je

peux compter sur lui, ne serait-ce que pour passer un seul coup de fil, ça me soulage, j'ai un poids en moins sur les épaules. »

Les femmes acceptent tout cela plus facilement quand leur compagnon en prend sa part. Il est intéressant de noter que leur activité professionnelle ne modifie pas la valeur du soin porté à la famille et à son confort. Mais c'est en contradiction avec l'aspiration, la revendication de l'égalité, et entraîne inévitablement tiraillements, insatisfactions, renoncements. Comment cela apparaît-il dans le grand livre des comptes du couple ?

Justement, et c'est étonnant, les enquêtes montrent que même s'il y a revendication d'un meilleur partage, même si des règlements de comptes surgissent ici ou là à ce propos, il y a assez peu de véritables négociations. Les femmes craignent le conflit, elles ne veulent pas passer pour des mégères risquant de gâcher l'ambiance. Mais n'y a-t-il que cela ? Que les femmes ne soient pas prêtes à lâcher un territoire que les hommes leur laissent volontiers ; qu'elles en paient quelquefois le prix fort ; que les hommes apprécient ce confort, qui est aussi un moyen de montrer leur suprématie, leur liberté, soit, mais cela suffit-il vraiment à maintenir cet état de fait ? On ne s'installe pas ensemble pour mettre en œuvre l'égalité des tâches, mais pour partager des valeurs, des projets, des loisirs…

Dans la constitution du couple, il y va de la recherche du soi, de l'affirmation de son identité. Et cette quête du soi comprend pour beaucoup des références stéréotypées au genre. Se faire reconnaître comme « femme », comme « homme », passe par les standards encore en vigueur. Et le travail domestique constitue un des bastions les plus vigoureux de la reproduction des genres : « Les activités performatives qui produisent le genre comprennent pour une part le travail domestique : non seulement certaines femmes assimilent certaines tâches à des preuves de leur identité sexuée (faire un gâteau pour se prouver qu'on est une bonne mère), mais aussi bien des hommes qui rechignent à les assumer pas seulement par paresse mais pour éviter le risque d'une certaine féminisation de leur identité. La sphère privée est au centre de la "sexualisation" de la production du genre dans les sociétés contemporaines. C'est à l'ombre de la vie privée que se nouent pour une large part la production et la reproduction des genres. Cela signifie que le travail domestique est constitutif des hommes (en creux) et des femmes (en plein)[5]. »

Dans la tête des hommes, des femmes, dans l'idéologie prégnante, certaines tâches sont féminines – cuisine, course, repassage, nettoyage – et d'autres masculines – entretien de la voiture, administratif, travail extérieur à la maison. Les femmes assument 84 % des tâches dites « féminines », les hommes 48 % des tâches dites « masculines » ! Non seulement les femmes sont assignées au travail ménager, mais elles restent enfermées dans le féminin, plus d'ailleurs que les hommes ne le sont dans le masculin. Selon Judith Butler, la vie conjugale exerce ce pouvoir de « faire du genre » : « Si le genre est une sorte de pratique, une activité qui s'accomplit sans cesse, et en partie sans qu'on le veuille ou le sache (…) si être un homme, une femme, c'est réaliser des performances de la masculinité et de la féminité, alors transformer le partage du travail ménager implique nécessairement un trouble dans le genre. Quelle transformation du genre apparaîtra quand le travail domestique perdra son pouvoir performatif[6] ? »

En clair, accepter ces injustices ménagères, c'est une manière de se réaliser dans son identité, mais c'est surtout se réaliser en se conformant aux stéréotypes, en les validant et en les renforçant. Remettre en cause ce partage, ce déséquilibre, viendrait déconstruire des définitions ancestrales. Et il y a comme une entente tacite pour ne pas ébranler cet équilibre.

Cette déconstruction impliquerait que chaque individu se réalise dans sa singularité la plus inaliénable, pour s'accomplir au-delà des standards des genres. Pas évident ! Maintenir l'idée qu'il ne faut pas faire de comptes dans la sphère privée, c'est continuer à la recouvrir d'un voile idéologique. Casser le clivage amour-compte, c'est prendre le risque d'une déconstruction du genre « troublante ». Voici, me semble-t-il, le point de résistance le plus profondément ancré socialement.

Mais est-ce aussi inéluctable que cela ? Le genre ne peut-il pas moins s'inscrire dans le travail domestique ?

> « Nous venons d'avoir cinquante-cinq ans, mon mari et moi. Je suis vraiment ravie et étonnée de notre cheminement. Quand on s'est mariés, c'est peu dire qu'il était macho. Issu d'une famille méditerranéenne, il ne pouvait pas imaginer lever le petit doigt sans perdre sa virilité. Et maintenant, il fait les courses, cuisine sans aucune difficulté. Lors des dernières vacances, comme je ne voulais pas le faire, il s'est très bien débrouillé en repassant ses chemises, il m'a épatée !
>
> En fait, cela dépend surtout de notre charge mutuelle de travail : quand il est débordé, j'en fais plus ; quand c'est moi qui suis noyée par le travail, il prend le relais. Je crois qu'avec les crises qu'on a traversées, qu'on traverse encore, on a fini par construire une belle confiance mutuelle et, du coup, il n'a

pas besoin pour se sentir un homme de jouer les Rambo, ou d'entrer dans un stéréotype. Il est lui, et c'est tout. »

Devenir soi, c'est le résultat d'un cheminement personnel et en couple, mais c'est une aventure humaine que le XXIe siècle rend possible. Ainsi donc, un homme peut penser à un dîner, faire les courses, préparer le repas et la table, tout en se sentant parfaitement bien dans sa peau. Et une femme peut faire l'administratif en étant en total accord avec elle-même. On peut vivre d'autant mieux son corps de femme, d'homme, sa sexualité, qu'elle soit hétéro ou homo, qu'on se sera libéré des standards ancestraux. Il y a mille et une manières de vivre sa féminité, sa masculinité, c'est cela qui est passionnant.

Le couple qui à son insu reproduit le genre peut aussi être un lieu privilégié pour le déconstruire. Être soi, c'est avancer les mains nues, dans sa vulnérabilité, dans sa dignité, dans son potentiel et dans ses limites. Comme entité vivante, comme lieu de la sexualité, c'est un de ces lieux magiques et exigeants qui peut permettre d'advenir à un accomplissement personnel inouï. Être soi suppose une grande fluidité dans la relation à l'autre, ne pas se laisser enfermer dans une position rigide, pouvoir être tour à tour le fort, le fragile, réaliser son côté féminin, masculin tout en s'épanouissant, être à tour de rôle celui qui donne davantage, celui qui reçoit. Un des mots clefs de la réussite d'un couple, c'est l'alternance, pour que chacun y trouve son compte. Un équilibre reste à inventer inlassablement.

Une alternance qui construit le respect mutuel

> « Ce qui a été formidable dans notre histoire avec Julien, c'est qu'à chaque fois que l'un a eu besoin d'un coup de main, l'autre était présent. Quand il a perdu son emploi il y a cinq ans, j'ai veillé à ne pas l'enfoncer davantage : je l'encourageais, je l'ai aidé en essayant de ne pas le dévaloriser. Moi, l'année dernière, mes deux parents sont tombés malades au même moment, ça a été très dur pour moi sur toute la ligne, je suis leur fille unique. Julien a vraiment assuré, il était aux petits soins avec moi, il supportait mes colères, en râlant juste ce qu'il faut. Il a vraiment été champion. Alors, vous comprenez, quand il rechigne parce que je craque un peu trop sur les petites robes d'été, je ne peux pas lui en vouloir.
>
> Ces épreuves nous ont tellement rapprochés qu'on finit par rire de sa tendance à la radinerie ! »

Que chacun puisse, à tour de rôle, servir de point d'appui à l'autre, c'est un cadeau que l'on se fait mutuellement. On se sent reconnu, soutenu, on se sent exister, et on ne compte plus de la même manière.

Dans un couple, le sentiment d'équilibre se construit dans le temps, la dimension temporelle est importante, car c'est l'alternance de séquences inégales qui va construire l'équité. On ne peut viser une égalité arithmétique permanente, qui impliquerait des calculs infernaux ! En outre, ce qui circule est incomparable, n'est pas du même ordre. La logique du donnant-donnant est un piège à éviter car elle enlève toute la saveur du lien. On ne peut passer son temps à tout soupeser. Inévitablement, l'un, à un moment donné, plus en forme, plus enthousiaste, plus disponible, en fera davantage, contribuera plus activement au bien-être du couple. L'un, qui aime cuisiner, passera plus de temps devant les fourneaux. L'autre aime les voyages et entraînera davantage le couple vers des découvertes. L'un se consacrera davantage à la décoration de la maison, son partenaire apportera avant tout du confort matériel. L'un donnera du temps, l'autre sa gaieté, sa bonne humeur. L'équilibre se construit sur ces échanges incessants, dons réciproques, qui permettent à chacun de se sentir heureux dans son couple, et d'y trouver son compte. Le respect s'institue à mesure que se met en place le sentiment de pouvoir compter sur l'autre, quand on éprouve la force réelle de sa présence, et qu'on parvient à lui répondre présent.

Très étrangement, la qualité de cette présence mutuelle rend plus légère la relation, tout en la consolidant. Le fonctionnement du couple est basé sur un système d'échanges choisis, négociables, qui ne peut durer que s'il maintient un équilibre satisfaisant pour les deux partenaires.

> « Je l'ai aidée quand elle a eu des soucis avec son fils, j'ai été présent auprès de sa famille, mais en retour, je n'ai que des reproches, je lui donne et ça ne la remplit pas… Moi, je ne peux continuer comme ça. »

Contrairement à ce qui se passe dans la relation parents-enfant, la dissymétrie entre ce qui est donné et ce qui est reçu ne peut être que provisoire, temporaire, réversible à tout moment. Qu'elle devienne la règle génère une souffrance intolérable. Rester dans une position d'attente vis-à-vis de l'autre, ne pas reconnaître ce qu'on reçoit, ce que l'autre nous offre, ne voir que les manques, les loupés de la relation, n'est-ce pas se maintenir dans une position infantile, très préjudiciable à la vie à deux, suscitant une insatisfaction générale ? La vie de couple demande que l'on sorte de cette disposition, somme toute très adolescente, qui consiste à considérer que tout nous est dû, sans nous sentir nous-mêmes obligés de quoi que ce soit envers l'autre. Une relation juste ne peut s'établir et se maintenir que dans un échange de droits et de devoirs mutuels.

Y parvenir nécessite une grande attention à l'autre, un décentrement par rapport à soi-même.

> « J'ai eu beaucoup de mal à avoir des enfants. Pour ma première grossesse, j'ai dû faire des FIV, au début j'avais l'impression qu'il se sentait extérieur, qu'il n'était pas concerné. J'étais très triste. Heureusement, il s'en est rendu compte, et après il a été davantage présent. Je peux dire qu'on a attendu vraiment à deux notre petite fille, c'était très important pour moi. »

L'équilibre se construit sur un respect mutuel, c'est-à-dire sur la capacité que l'on a d'entendre la souffrance de l'autre, ses besoins. Être juste, c'est faire entrer dans la balance des comptes l'intérêt d'autrui, en le reconnaissant comme aussi légitime que le nôtre, ce qui suppose une réciprocité. Respecter l'autre, l'aimer, c'est se préoccuper de ce qui compte pour lui, prendre en compte ce qui lui fait du bien. On peut d'autant mieux y parvenir que l'autre reconnaît ce que l'on fait pour lui, dans une synergie : plus je reconnais ce que je reçois, plus j'invite l'autre à me donner. Cette spirale positive permet un renforcement mutuel.

> « C'est vrai, je râle souvent parce qu'il ne s'occupe pas beaucoup des enfants, il travaille parfois le samedi ; mais il

faut reconnaître qu'il m'a apporté beaucoup d'apaisement. Avant, j'étais très angoissée ; avec son optimisme, je vois les choses un peu différemment. »

« Elle est parfois colérique, elle n'a pas toujours bon caractère, mais elle m'apporte beaucoup, avec son dynamisme, je ne m'ennuie pas avec elle. »

« Il ne veut pas d'enfant tout de suite, il veut qu'on patiente au moins un an... Ce n'est pas facile pour moi, mais je me dis que s'il a besoin de ce temps, banco, car s'il est aussi bon père qu'il est bon mari, ça vaut le coup. »

Dans un couple, il ne suffit pas de donner pour garantir la qualité du lien ; la manière de donner est tout autant importante que le don lui-même. Aimer, c'est donner dans le respect de l'autre sans l'étouffer, sans le noyer sous une profusion de dons écrasante, aliénante. Donner à l'autre, ce qu'il aime recevoir, lui donner aussi à la hauteur de ce qu'il peut rendre, c'est lui prouver qu'on le reconnaît dans ce qu'il est. Le respect, c'est peut-être ce geste retenu, ce cadeau qu'on aimerait offrir mais qui bouleverserait les limites de l'autre, sa difficulté à accepter. C'est au cours de tendres règlements de comptes que tous ces ajustements peuvent se faire. Savoir recevoir est tout aussi essentiel. Le respect s'enracine dans la capacité à aimer le geste qui donne, à reconnaître la bonté de la main qui se tend même si elle n'offre pas tout à fait ce qu'on attendait, même si elle est maladroite.

« Il ne me dit pas souvent “je t'aime”, mais son regard parle pour lui. Avant lui, aucun homme ne m'avait regardée comme ça. »

« J'aimerais qu'elle soit plus tendre, ça me rassurerait, ça me réchaufferait, mais en même temp, quand elle me caresse, quand elle me prend la main, ou quand elle passe sa main dans mes cheveux, toutes mes peurs s'évanouissent. »

Pour cimenter le couple, a-t-on inventé autre chose de mieux que de déclarer à quel point l'autre compte pour nous, étant bien entendu que chacun le dit à sa manière ? Décoder son langage permet de recevoir pleinement ce qu'il peut donner, d'autant plus que, dans un couple, le langage du corps est important. Un seul baiser du prince a suffi pour éveiller la princesse et redonner vie à son monde !

L'éveil de la belle au bois dormant

Dans un couple, l'enjeu identitaire est très central, c'est notamment pour cela qu'il peut être un lieu aussi bien très destructeur que plein de promesses.

> « Il me demande d'être quelqu'un d'autre que ce que je suis, c'est impossible pour moi. »
>
> « Elle voudrait que je sois comme ci, comme ça. Mais c'est une erreur de casting ! Je ne peux pas, mais je l'aime, alors comment on fait ? »

Dans la rencontre amoureuse, on s'éprend et on se méprend en même temps. On pense aimer l'autre mais, au fond, c'est quelqu'un d'autre qu'on aime à travers lui. La manière dont on sortira ou non de ces méprises inévitables au début forgera une confiance mutuelle ou la détruira.

Je suis en partie invisible à moi-même : par exemple, sur le plan corporel, je ne peux voir mon dos, mon visage que dans le reflet d'un miroir ou dans le regard de l'autre. « L'homme est miroir pour l'homme, a écrit Merleau-Ponty, c'est l'autre qui me donne mon visage[7] » et qui me révèle une part de cet invisible que je porte. C'est autrui qui atteste que cette part lui est visible. Par son regard, il me la restitue.

> « Dans mes histoires précédentes j'avais honte de mon corps, je n'assumais pas ma sexualité. Aujourd'hui, grâce à son regard tendre, il me fait aimer mon corps, je m'épanouis comme femme, je prends plaisir aux jeux de séduction. »
>
> « Ma femme m'a beaucoup aidé à grandir. Au début de notre rencontre, j'étais toujours en guerre avec ma famille. Elle m'a aidé à m'affirmer devant mon père, tout en acceptant que des choses ne puissent pas se régler avec eux. »

Cette assurance d'être soi, ainsi acquise dans le couple, constitue une assise précieuse. Le sentiment d'exister prend corps en moi, s'enracine. Mais le regard de l'être aimé peut me révéler à moi-même ou au contraire me détruire. Il peut être aussi bien éveil de la princesse au bois dormant, sous la magie du baiser du prince charmant, que poison ravageur de la pomme offerte par la sorcière à Blanche-Neige. Dans leurs regards croisés, l'aimant et l'aimé s'éveillent mutuellement ou se tuent.

> « Je suis transparente pour lui, c'est terrible, j'ai fini par me recroqueviller, je ne sais même plus ce que je désire, je suis anéantie et je n'ai même plus la force de réagir. C'est comme si je n'habitais plus mon corps. »

Quand le regard de l'autre nous place là où nous ne sommes pas ou pas encore ; quand il nous enferme là où nous ne voulons pas, ne voulons plus être ; quand il nous coupe de nous-mêmes en nous plaçant là où nous ne pouvons ou voulons nous reconnaître, alors un véritable jeu de massacre identitaire risque de s'installer. Quand le partenaire fait de mon invisible seulement le champ de ses projections, de ses fantasmes, la relation devient aliénation.

Dans le couple, la frontière entre ces deux versants est bien subtile, fluctuante, on peut glisser facilement de l'un à l'autre ; jusqu'à un certain point, cela reste réversible. Le couple, c'est à la fois ce lieu spécifique où la tendresse peut aider chacun à prendre le risque d'être soi-même, mais c'est aussi le lieu où le lien peut se transformer en acide susceptible de ronger la part la plus intime de soi. L'autre peut me dévoiler à moi-même ou dévoiler tous les personnages qu'il projette sur moi et qu'il voit à travers moi. La tendresse alors se trouble, elle se perd quand le partenaire me fait vaciller et qu'il me fait douter de moi.

On accède au versant positif quand on parvient à regarder l'autre tel qu'il est, et non tel qu'on voudrait qu'il soit. C'est à ce moment-là que la confiance s'installe, elle se tisse quand l'autre nous aide à découvrir en nous de l'assurance, à développer une certaine estime de soi, à trouver et prendre notre place, en un mot quand il nous permet d'avoir confiance en nous.

> « J'ai toujours douté de moi. Sans ma femme je n'aurais jamais osé me lancer professionnellement, c'est vraiment grâce à elle que j'ai créé ma boîte, je lui dois beaucoup. »

Plus le partenaire m'aide à devenir moi-même, à réaliser ce qui est bon pour moi, à aimer ce que je suis, plus je pourrai l'aimer à mon tour, lui faire confiance. Il ne s'agit pas d'essayer de changer l'autre, mais de lui permettre, voire de supporter qu'il s'accomplisse le plus justement, le plus pleinement possible. Au fil de toutes ces interactions le lien se tisse et se renforce, devenant capable de supporter les moments inévitables de tempêtes et de désaccords. Bien sûr, ce n'est pas facile, il faudra du temps. Cela suppose que de nombreux comptes aient pu être réglés, ou soldés, mais la confiance mutuelle ainsi acquise devient alors repos.

On voit que tout se tient, c'est ce qui est extraordinaire ! On construit notre couple au fur et à mesure qu'on a moins besoin d'être l'enfant de ses parents, qu'on est plus au clair dans sa fratrie, en un mot qu'on a moins de comptes en attente, en suspens avec notre famille d'origine. Un couple se fonde bien souvent dans l'espoir que l'amour rencontré, la passion partagée, permette plus ou moins de régler ses comptes avec sa famille d'origine, ses parents, son histoire familiale, puisse en partie affranchir d'un passé trop encombrant. L'aventure commence avec cet espoir infini de compenser, réparer ce qui n'a pas été vécu dans le passé. Soit, cette étape est inévitable... mais il faut en sortir ! Il faudra bien pour devenir adulte accepter l'insolvabilité de ces comptes transgénérationnels, et l'amour, la tendresse réciproques peuvent largement y contribuer. Aimer l'autre, c'est l'accompagner sur le chemin du pardon, l'aider à grandir, en acceptant de ne jamais pouvoir être quitte avec sa famille d'origine, ne pas le laisser s'enferrer dans des combats impossibles. C'est aussi petit à petit parvenir à ne pas présenter à l'ami, la compagne, la facture des passifs parentaux, des contentieux familiaux.

> « Je ne peux lui dire "je t'aime", car j'ai toujours eu honte de l'amour de mon père. »

« Pierre était toujours très remonté contre sa mère, à l'entendre elle avait vraiment été abandonnique... C'est avec beaucoup de réticence au début que j'ai rencontré ma belle-mère, puis j'ai appris à la connaître. C'est une femme qui avait beaucoup souffert dans son enfance parce que, séparée très tôt de sa mère, elle avait peur de trop montrer son amour envers son fils. Être trop attaché à ses parents, disait-elle, c'est être vulnérable. Mais en fait elle a toujours adoré Pierre, elle en a toujours été très fière... La naissance de notre première fille nous a encore rapprochées, elle et moi, elle a été une mamie super-super, et du coup, ça a permis à Pierre de voir autrement sa propre mère, c'est plus paisible entre eux...

Finalement, il m'accepte mieux dans ma place de mère depuis qu'il est plus tranquille avec son histoire... »

À travers vents et tempêtes, câlins et tendresses, le couple, avec toutes ses difficultés, constitue sans doute le lieu potentiel de notre accomplissement le plus abouti, le lieu où peut se déployer, s'épanouir notre plénitude.

« Avant, j'étais tiraillée, entre ma mère, mon père, mes frères qui attendaient tout de moi. Guillaume m'a permis de trouver ma juste place au milieu de toutes ces demandes impossibles. Je lui suis très reconnaissante car, je m'en rends compte maintenant, c'est quand j'ai accepté de ne plus être la mère de toute la famille que nous avons pu avoir un enfant, avant on n'y arrivait pas. Grâce à tout cela, je me sens plus paisible, plus en paix avec moi-même, réconciliée. »

Plus le partenaire nous aide à trouver notre juste place dans la vie, au sein de notre famille, plus on est dans la gratitude envers lui. Ce n'est pas facile, mais c'est possible et cela vaut la peine d'essayer, même à travers plusieurs histoires.

La confiance mutuelle se tisse à travers tous ces dépassements de soi. Cette force circule entre les amants quand chacun parvient à croire en l'autre, en son devenir possible, car en tant qu'êtres humains nous sommes potentiellement toujours davantage que ce qu'on est et que ce qu'on fut. Que quelqu'un croie en nous, c'est déjà un cadeau, mais qu'il puisse nous aider à croire en nous-mêmes, c'est bien la magie de l'amour ! Tant qu'elle fonctionne, on apprécie davantage encore ce partenaire qui, seul, a su nous distinguer parmi tant d'autres, cela le rend unique, nous rend mutuellement inestimables, irremplaçables l'un pour l'autre. La confiance mutuelle sert d'écrin à l'accomplissement de soi, et permet d'accéder au plaisir d'être soi, en dévoilant le meilleur de soi-même.

Rappelons-nous *L'Idiot* de Dostoïevski. Le prince Muychkine débarque à Saint-Pétersbourg, il porte, comme un idiot, un regard naïf et bon sur le monde, il fait confiance aux gens, et notamment, contre toute évidence, à une femme fatale et perverse. Nastassia en est bouleversée, au sens fort du terme. Elle se reconnaît dans la confiance de Muychkine, et elle retrouvera une pureté d'âme après sa vie immorale. La confiance du prince lui a permis de se transformer, elle a ouvert l'intrigante à une dimension de son être, qui jusque-là ne lui était pas accessible, et cette révélation a changé le cours de son existence. Alors faut-il être « idiot » pour être confiant, ou faut-il être prince ?

La confiance est sans doute une des choses les plus indispensables au couple, mais une des plus difficiles à mettre en place. C'est une attitude d'ouverture qui se rapproche du don. Accorder sa confiance à quelqu'un lui donne un certain pouvoir sur nous. Faire confiance, c'est s'en remettre à l'autre, ce qui nous rend vulnérables : « Je ne sais pas si l'autre est fiable, s'il honorera la confiance que je lui fais. » Exercice périlleux, la confiance est un pari qui nous situe entre le savoir et le non-savoir, une hypothèse qui permet de se projeter dans l'avenir : Je suppose que je peux faire confiance, mais rien n'est sûr. C'est un engagement dans l'action, sans garantie. La confiance en l'autre suppose une certaine forme temporaire d'abandon de pouvoir, de contrôle, pendant que j'ignore quelle valeur a pour l'autre la confiance que je lui accorde. Cela se rejoue à chaque instant. Pourquoi d'ailleurs respecter la confiance qui nous est faite ? Elle est un crédit fait à l'autre dont on suppose qu'il a « tout intérêt » à ne pas la trahir. Elle est le fruit d'une longue série d'interactions répétées. Évidemment, longue à installer, elle peut s'évanouir en un seul geste ! La confiance s'élabore à partir de notre capacité à tenir nos promesses, dans la force morale et impérative de la parole donnée : « je te promets » suppose que « tu me promets » à ton tour. La confiance implique la réciprocité. Quand on se promet de s'aimer « pour toujours », qui osera rompre cette promesse fondatrice et, en même temps peut-on se préserver du risque ? La puissance de la confiance mutuelle vient de ce qu'elle n'est jamais acquise totalement.

Dans un couple, la confiance ne se limite pas à la fidélité sexuelle. Elle se tisse quand on conforte l'autre dans son être profond, mais plus encore quand on l'aide à tenir les promesses qu'il s'était faites à lui-même.

> « Dans ma famille, il y a eu des mensonges, des non-dits, je m'étais juré de respecter la parole donnée. Heureusement, je peux vivre cela avec mon chéri. »

Peut-être décrivons-nous là la mise en acte au sein d'un couple d'un processus relationnel d'altérité qui permet à chacun d'accéder à sa dignité la plus inaliénable, c'est-à-dire à son humanité la plus irréductible. À partir de ce moment-là, la confiance optimise la relation, crée un contexte émotionnel nouveau, apportant un confort relationnel, affectif, car on peut se laisser aller à montrer sa vulnérabilité, sa dépendance sans craindre que l'autre n'en abuse. Elle crée un sentiment de sécurité. La confiance donnée et reçue réside dans la possibilité de partager un monde avec l'autre, créant une nouvelle dimension d'intimité. Elle permet un lâcher-prise, un abandon à l'autre, un relâchement rafraîchissant, réparateur, libérateur.

Les bons comptes font les bons amants

Exigeant, le couple ? Oui. Heureusement, il bénéficie d'un lieu extraordinaire : la couette, cet espace et ce temps, par excellence, où bien des comptes peuvent se régler ou se gripper. La sexualité dans les règlements de comptes d'un couple, voilà ce qui le distingue absolument des autres liens familiaux. Les câlins ont plusieurs fonctions par rapport aux comptes.

La couette peut être un lieu de représailles, ce qui est une façon de régler ses comptes sur le mode de la vengeance. La femme qui ne se sent pas reconnue, qui se sent bafouée, se soustraira aux désirs de son mari, pour lui faire payer les souffrances infligées. L'homme rentrera tard de son travail, trompera sa femme s'il ne se sent pas accueilli, attendu… La spirale négative est en marche.

La couette peut être également un lieu de fuite. On fait l'amour pour ne pas parler, pour ne pas se dire. C'est quelquefois bien utile et judicieux. Les corps peuvent trouver un langage bien plus fort que certains mots. Mais si cela devient une habitude, on risque de laisser s'envenimer la situation, les couches d'insatisfactions vont se superposer et finir par faire déraper et la sexualité et le couple.

C'est aussi évidemment le lieu idéal de la réconciliation. On se réchauffe le cœur et le corps, on laisse parler la tendresse après les mots durs des règlements de comptes. Une fois qu'on s'est dit ce qu'on avait à se dire, alors on peut s'abandonner totalement au désir, au plaisir. Chacun se sent conforté dans son être le plus intime, dans son corps. La sexualité permet alors d'advenir à une unité intérieure : se fondent en nous, dans l'étreinte à l'autre, toutes les dimensions de notre être. Car la sexualité est au croisement de l'individuel et du couple, de l'intime et du social qui en détermine les règles, elle participe du corps et de l'esprit – n'oublions pas qu'Éros fut marié à Psyché. Nos tensions internes dues au métissage de notre être s'apaisent, nous éprouvons enfin un sentiment de réconciliation avec nous-même, grâce à l'autre. Dans cet enlacement des corps, il se passe quelque chose de tout à fait étrange, mélange à la fois d'une perte de conscience de la séparation du moi et du non-moi, et d'une sensation de parfaite adéquation à soi. Faire l'amour nous fait éprouver une extraordinaire sensation de vie, comme si nous étions alors ouverts au monde et à sa force.

Ici, nous avons le choix de considérer, comme Hegel, qu'il s'agit d'une expérience « de justice ». Il définit la justice précisément comme un acte de réconciliation, où l'être s'éprouve dans son unité, sans être déchiré ni séparé de lui-même, parce qu'il y a suppression de toute séparation et extériorité, justice qui, selon lui, « permet de jouir de soi éternellement ». Ou bien, dans la mesure où la sexualité nous met dans un état second proche de la transe hypnotique, nous pourrions considérer comme François Roustang qu'il s'agit d'une expérience de « liberté » : « Chaque fois qu'il arrive avec la plus grande exactitude de penser ce que l'on pense, de sentir ce que l'on ressent, d'éprouver ce que l'on éprouve, on entre dans la vie du monde et on participe à sa puissance. Cette adéquation élémentaire pourrait bien être une excellente définition de l'état hypnotique ou une définition parfaite de la liberté humaine[8]. » Peut-être finalement la liberté n'est-ce rien d'autre que cette adéquation sourcilleuse à soi-même et à son contexte, nous permettant, l'espace de quelques secondes, et grâce à un autre, d'éprouver une sensation de justesse.

La sexualité est vraiment le paradigme des échanges du couple. On se donne, on reçoit, dans une réciprocité qui trouve son apogée dans l'orgasme. On se trouve en se perdant, ce qui apaise étonnamment. On se donne mutuellement de la tendresse, du plaisir, il est important d'accepter de recevoir ce que l'autre a envie de nous donner, de ne pas se fermer au désir de l'autre, mais bien entendu, elle peut aussi bien être un lieu d'oppression, d'anéantissement, elle peut aboutir au pire et au meilleur. Cela nous renvoie inévitablement à la question de l'éthique sans laquelle le couple ne peut vivre ses côtés positifs. Sans la mise en place de sentiments moraux puissants, le couple peut devenir une entreprise ravageuse. Et ce d'autant plus dans nos sociétés où il y a des unions libres, et où les contrats – mariage et

Pacs – ne constituent pas des engagements à toute épreuve. La liberté que nous avons gagnée doit être compensée par une exigence morale indispensable au sein de la relation. Jamais l'éthique, les sentiments moraux n'ont été aussi indispensables à l'épanouissement de la vie à deux.

En effet, qu'est-ce qui fait qu'on se sent lié à cet homme, à cette femme qui dort près de soi ? Les dons échangés, aussi importants soient-ils, ne génèrent pas nécessairement un sentiment de dettes : on peut avoir beaucoup reçu de sa femme, de son compagnon et pour autant partir quand cela devient trop difficile, quand la relation n'évolue pas. La confiance peut elle aussi s'évanouir quand le lien perd son sens. On peut avoir vécu de merveilleux moments et puis finir par ne plus se supporter. Les échanges d'un couple ne produisent pas forcément de loyautés respectives. Rien n'est jamais garanti, c'est sans doute pour cela que la vie de couple est une aventure impossible, qu'on n'a jamais cessé de tenter depuis la nuit des temps ! C'est dire qu'elle vaut la peine d'être inlassablement vécue.

Milton Erickson nous ouvre une piste intéressante. Il résume parfaitement les différentes étapes et évoque quatre sortes d'amour : « La forme infantile : "Je m'aime moi" ; l'étape suivante : "Je m'aime en toi. Je t'aime parce que tu es mon frère, ma mère, mon père, ma sœur, mon chien. Le moi en toi." Puis vient l'amour adolescent : "Je t'aime parce que ta façon de danser me plaît ou ton intelligence me plaît." Enfin, l'amour adulte s'exprime comme ça : "Je veux t'aimer, te chérir et je voudrais te voir heureux car mon bonheur est ton bonheur. Plus tu es heureux, plus je le suis. Je trouve mon bonheur dans le tien." La maturité de l'amour, c'est l'aptitude à prendre plaisir de la jouissance de l'autre. Et c'est réciproque… Dans une union réussie, vous trouvez un peu de “je m’aime moi”, une part de “je m’aime en toi”, puis l’adolescent qui subsiste en moi se complaît dans tes extraordinaires qualités. Mais pour finir, il faut un pourcentage très important de plaisir de voir l’autre heureux. Il ne suffit pas d’aimer la cuisine de votre femme, vous devez aussi aimer sa joie de faire la cuisine[9]. »

Ainsi pourrait se résumer l’éthique que l’on peut viser dans un couple : prendre plaisir au plaisir de l’autre. Parvenir à se réjouir de ce qui réjouit l’autre : n’est-ce pas le plus beau cadeau qu’on puisse faire à celui ou celle qu’on aime ?

On voit bien se dessiner la spécificité des échanges au sein d’un couple par rapport aux liens fraternels ou transgénérationnels : le désir fonde le couple, le respect le consolide, le plaisir le fait durer. Ce qui domine dans la vie commune de deux partenaires hétérosexuels ou homosexuels, c’est la tonalité des échanges, leur sensorialité toute particulière, leur coloration sensuelle, la part du désir. La vie à deux est un réservoir de désirs, on se rend mutuellement désirant, désirable ; elle développe le goût de faire des choses ensemble, séparément, elle attise notre curiosité, notre joie de vivre, notre appétit. En un mot, elle nous rend plus vivants. Ce qui caractérise le couple, c’est donc bien sa capacité à susciter le désir, le plaisir, la joie, le bonheur, comme nul autre lien. Éprouver de la joie dans la joie de l’autre, se nourrir des dons qu’on lui fait, savourer ce qu’on reçoit de lui, y a-t-il meilleure définition du bonheur ?

C’est le bonheur renouvelé qui crée la loyauté. Plus on se sent bien avec l’autre, moins on a envie de le tromper. Plus on se sent rempli par l’autre, moins on a envie de le quitter. Plus on se sent exister avec l'autre, plus le couple fait sens. Au-delà du geste qui donne, au-delà du geste qui reçoit, c'est le bonheur produit par le couple, c'est la qualité de la relation, sa saveur, coproduite par les deux partenaires, qui maintient le couple. L'accord se fait tendresse, le lien devient caresse.

Mais ce bonheur, ce plaisir devant le plaisir de l'autre reste un équilibre très instable, toujours fragile, qu'il faut réinventer jour après jour, geste après geste.

9
La violence des règlements de comptes

Je ne méritais pas cela

> « Je ne suis plus rien pour lui, c'est comme si je n'existais pas, pire, comme si je n'avais jamais existé. »
>
> « Je ne suis plus rien pour elle, elle ne m'accorde même pas un regard, elle m'ignore. »

À l'heure du désamour, c'est comme si la vie nous quittait.

L'aventure du couple est si jalonnée d'embûches qu'on se demande s'il faut s'étonner du nombre de couples qui se séparent ou, au contraire, du nombre de couples qui parviennent à durer. Quand la coupe déborde, quand on ne reçoit pas ce qu'on escomptait, la question de la séparation s'impose aujourd'hui dans nos sociétés occidentales. Alors que pendant des siècles, il s'agissait d'unir deux patrimoines, deux familles, par un contrat signé devant Dieu et devant l'ordre social. L'argent laissait pour compte l'amour ; la raison, l'honneur, le rang social prenaient le pas sur les sentiments. En outre le couple, aujourd'hui, a perdu sa fonction de pérenniser la famille : on peut avoir des enfants en restant célibataire. Et il est devenu encore plus sensible aux aléas des affects.

> « Les choses allaient toujours dans le même sens, il m'en demandait toujours plus, et lui, je n'ai jamais pu compter sur lui pour m'aider. J'étais devenue transparente. C'est comme si une partie de moi était devenue morte. Je n'existais plus, je n'avais plus de force pour réagir. Quand les enfants ont grandi, je me suis dit : "Tu ne peux plus supporter cela", je suis partie. »
>
> « Devant les enfants, les amis, elle me rabrouait, me disqualifiait, c'était devenu intolérable, elle me parlait comme à un chien. De l'évoquer, j'en souffre encore… Un jour, ça a été de trop, j'ai pris mes cliques et mes claques et je ne suis plus revenu. »
>
> « Longtemps, il a eu de l'autorité sur moi, et puis un jour j'en ai eu assez. Je me suis sentie assez forte pour ne plus me soumettre, il n'a pas supporté. »

Que ce soit toujours le même qui donne, avec pas ou peu de retour, que l'on ne se sente pas reconnu, soutenu, que l'on ne puisse pas compter sur l'autre, qu'on se sente humilié, et les blessures sont irrémédiables. Que les comptes soient déséquilibrés en permanence, que le vécu du couple soit gris-noir, que les tempêtes ne laissent pas de place aux éclaircies, alors la rupture s'impose. Le sens du devoir préserve parfois le contrat officiel, mais officieusement le cœur n'y est pas. Et, non sans douleur, celui qui ne trouve plus son compte tire sa révérence.

Pour autant, quand on se sépare, on n'en a pas fini avec les comptes. D'un coup, les plus anciens resurgissent, chez celui qui reste notamment.

« Quand il m'a dit qu'il partait, le ciel m'est tombé sur la tête. Quand je pense à tout ce que j'ai fait pour lui. J'ai quitté un travail pour le suivre et lui permettre de s'épanouir dans son nouveau job, je voulais trois enfants, M. ne se sentait pas prêt, j'ai fait une IVG après notre seconde fille... Je me suis donnée sans compter... Je ne comprends pas, je ne méritais pas cela. Est-ce que j'en ai trop fait pour lui ? C'est à se demander parfois s'il ne faut pas être plus égoïste ! J'ai l'impression que j'ai eu tout faux. »

Le sentiment de trahison s'impose violemment. En soi, quelque chose s'effondre avec la rupture.

« Je lui faisais confiance, en fait il m'a toujours menti. »

« Trois jours avant de partir, elle me parlait de faire un enfant, et lors des dernières vacances, elle semblait si heureuse... Je n'ai rien vu venir. En fait, elle était déjà dans les bras d'un autre. Je n'aurais jamais imaginé cela d'elle, je ne pensais pas qu'on en arriverait là. »

Être quitté provoque une perte narcissique énorme, ouvrant le gouffre vertigineux du doute.

« Comment ai-je fait pour ne rien voir, pour me laisser berner à ce point ?... »

« Il allait voir des prostituées. Quand j'ai découvert ses côtés sordides, je me suis sentie moi-même salie par la vie qu'il a pu mener secrètement. À son départ, c'est tout un aspect caché de cet homme qui s'est dévoilé, ça m'a fait froid dans le dos de me dire que j'avais pu vivre à côté d'un salaud. »

Un terrible sentiment d'injustice terrasse celui qui est quitté. Moins on comprend la rupture, plus on en souffre. L'incompréhension tétanise.

> « Elle avait tout pour être heureuse, je l'ai couverte de cadeaux, et elle me dit que ce n'est pas ça qui comptait pour elle, qu'elle avait besoin de plus de tendresse, mais c'était ma manière à moi de lui dire que je l'aimais. Finalement, je crois qu'on a toujours été sur deux planètes différentes… »

Dans l'après-coup, on mesure à quel point chacun se faisait un récit différent du couple. Contes et comptes se dévoilent.

> « Je suis parti parce que je crois qu'elle s'est trompée d'histoire. Marianne est enfant unique, d'un couple divorcé, elle n'a jamais eu de famille, elle en a toujours souffert. Elle a trouvé auprès de moi une famille, un cocon : je suis issu d'une famille très traditionnelle, on est de nombreux frères et sœurs, cousins. On se retrouve souvent pour les fêtes, elle se sentait enfin appartenir à une histoire, à ce qu'elle appelait une "tribu".
>
> Au début, ça me faisait plaisir de la voir si bien intégrée, mais ensuite elle m'a peu à peu négligé. En fait, c'est une famille qu'elle voulait, elle s'en fichait de moi. Elle s'est servie de moi. Elle s'est de plus en plus laissé enfermer dans son rôle de mère, au détriment du couple. Elle a voulu trois enfants, on a fait trois enfants, mais au lieu que ça la rapproche de moi, ça l'a éloignée. On n'avait plus de relations sexuelles depuis des mois. Je me sentais à l'écart, comme étranger dans ma propre maison. En fait, j'ai beaucoup souffert avant de prendre la décision de tout casser. Elle ne me considérait que comme le banquier sans aucune attention à

mon égard. J'avais beau lui dire que ça n'allait pas, elle croyait que notre histoire, c'était pour la vie, elle n'a jamais voulu se remettre en question…

J'ai eu beaucoup de mal à prendre cette décision, mais quand j'ai rencontré Fanny, je me suis senti exister auprès d'elle, j'ai retrouvé mon corps d'homme, mes désirs, ma joie de vivre. »

La rupture met en évidence les antagonismes qui fragilisaient le couple et le minaient depuis déjà un certain temps. Les pseudo-amoureux ne partageaient pas la même histoire. Ils ne partageaient pas du tout la même « carte du monde ». Dans la vie commune, faute d'avoir pu régler les comptes au fur et à mesure, chacun s'est enfermé dans son propre conte, c'est un danger sournois qui va alors alourdir les comptes, augmenter les contentieux. Le départ de celui – homme ou femme – qui revêt aux yeux de l'autre les habits de traître est souvent la résultante d'une longue série de loupés. La vie à deux ne le satisfaisait plus. Il se racontait que ce n'était plus possible, nourrissant son projet de rupture à l'ombre d'un amour évanoui. Il se projetait dans une autre vie. Son appartenance au couple se délitait petit à petit. Déjà séparé, alors que l'autre y croyait toujours, incapable de voir que le fossé se creusait, ignorant qu'ils n'étaient plus dans la même histoire. Celui qui n'était plus affectivement dans le couple en faisait si bien trembler les fondations que la chute allait engloutir l'autre qui s'y croyait à l'abri et continuait à se raconter que, bon an mal an, il n'y avait pas de problème, continuant à croire au partage, à la vie commune, à une appartenance, à une alliance plus ou moins sacrée, à un « toujours » idéal.

La rupture dévoile ces décalages et les accentue. L'un est

dans le désamour, l'autre lui reste très attaché. L'un a déjà entamé le deuil du couple, l'autre, sidéré, ne peut encore s'y engager.

Ils n'ont pas le même rapport au temps. L'un se projette dans le futur, l'autre tente de comprendre le passé, reste scotché à ce livre comptable dont il ne comprend plus les règles. Celui qui part a déjà ouvert un nouveau livre de comptes et a tendance à balayer ce qui le reliait à l'ancien livre. Perçu comme parjure, il appartient déjà à un autre univers.

> « C'est fou, on dirait un ado, il n'y a plus que son nouvel amour qui compte maintenant. Il en oublierait presque les enfants et son rôle de père. Parfois on a l'impression que les responsabilités l'encombrent. »

Son bonheur paraît arrogant, rend encore plus intolérable ce qui est vécu comme un abandon.

Celui qui, n'ayant rien demandé, subit une décision unilatérale se trouve renvoyé à une solitude inquiétante, réduisant à néant les efforts qu'il a pu faire dans la vie commune. Quand tout s'écroule, la calculette inconsciente s'emballe.

> « Avec tout ce que j'ai fait ! Don de soi, sacrifice, renoncement ! Mais alors, tous ces dons, ils ont compté pour du beurre ! Ils s'envolent comme fétus de paille dans le ciel gris de la discorde ! Et les dettes, les loyautés censées nous relier, nous attacher l'un à l'autre ? Envolées, elles aussi ? »

Quelle que soit leur importance, dons et dettes ne suffisent pas à garantir la durée d'un couple, les dons ne permettent pas plus d'exiger de l'autre que les dettes ne le retiennent. Le lien du couple est encore plus libre que le lien fraternel. « L'amour est enfant de bohème », libre comme l'air, ainsi que le chante si bien Carmen dans l'opéra de Bizet. Alors l'heure de la vengeance a sonné.

Il (elle) va me le payer

> « Moi, j'étais bien avec lui. Quand j'ai découvert qu'il me trompait, j'ai explosé, il n'est pas question que je continue comme ça à me faire avoir longtemps. À son tour d'en baver. Tout le monde le prenait pour un gentil, je vais me faire le plaisir de montrer à sa famille, à ses amis, à ses collègues à quel point c'est un salaud, à quel point il trompe tout le monde avec ses airs. Je ne vais pas lui faire de cadeaux. »
>
> « Elle a trop fait souffrir les enfants, moi, je suis au trente-sixième dessous, elle n'en sortira pas indemne, elle non plus. Elle ne peut pas faire autant de mal sans en payer les pots cassés. De la voir heureuse, c'est insupportable. Au fond de moi, je voudrais qu'elle se casse la figure dans sa nouvelle histoire, qu'elle comprenne ce que c'est que d'être largué. »
>
> « Il m'a brisée, je vais le saigner à blanc. »

La colère, la haine inévitables sont des réactions salutaires de quasi-survie psychique. Réagir par la haine, c'est reprendre une position active. Cela remobilise une certaine énergie. En vouloir à l'autre maintient debout. Et puis, le diaboliser, le disqualifier au maximum, voire le salir, est aussi une manière de se défaire de lui, de se déprendre de l'amour, d'entamer le deuil.

Mais ces affects négatifs ne sont pas pour autant faciles à vivre.

« Je m'en veux, je ne suis pas fier de moi, je n'ose même pas l'avouer. Parfois j'aimerais leur taper dessus, à mon ex et à son mec. Moi qui ne suis pas agressif ni violent pour deux sous, me voilà parfois envahi par des idées terribles, je me fais peur. Bien sûr, je ne lui ferais même pas une égratignure, je reste même très correct dans le partage. Mais n'empêche ! J'aimerais qu'elle ait mal comme moi je vais mal. Alors que je l'ai adorée, maintenant je souhaite qu'elle souffre comme moi je souffre. »

La souffrance fait surgir les plus mauvais côtés de soi. La rupture blesse un narcissisme déjà fragile. Si, dans un premier mouvement, l'esprit de vengeance envahit, il est essentiel d'en sortir ensuite, en tentant de renoncer à la sacro-sainte règle de l'équilibre, de l'égalité. Si on cherche à faire souffrir l'autre à la hauteur de ce qu'il nous a fait souffrir, à lui faire payer l'état dans lequel il nous a mis, la guerre s'annonce longue, stérile et sanglante. Cette égalité en creux, en négatif, n'a aucune chance d'aboutir. Car elle ne résout ni ne règle rien.

Quand les passions prennent le pas sur la raison, les finances vont tenir lieu de champ de bataille. Comme si quelque chose du désir désormais évanoui se jouait sur le plan de l'argent. Le besoin de se venger mobilise une énergie libidinale importante. Dans la relation de couple où la place du corps est centrale, réclamer à l'autre de l'argent, c'est le toucher dans sa chair. Celui qui regarde ailleurs doit combler autrement ce vide. Plus que de posséder l'objet, il s'agit parfois surtout d'en priver l'autre. « L'argent cristallise souvent toute l'agressivité rentrée[1]. » Il apparaît comme une arme pour se faire rembourser l'ardoise qu'on estime due, ou pour simplement lui empoisonner sa nouvelle vie. « Objet relationnel par excellence, l'argent entraîne d'ultimes transactions entre les ex-conjoints en reflétant très fidèlement la nature de leurs rapports. Rien d'étonnant donc à ce qu'on puisse trouver tous les cas de figure lors du partage des biens, de la collaboration raisonnée aux décomptes les plus sordides[2]. »

Un divorce ou une séparation appauvrit réellement, particulièrement celui ou celle qui gagnait peu ou pas d'argent dans l'ancien couple. Les décalages de train de vie rajoutent encore à la souffrance.

> « Je ne peux plus partir en vacances comme avant, mais lui, il ne se prive pas. »
>
> « Elle a une belle situation, son nouveau copain aussi, mais moi je galère. Je ne peux pas payer aux enfants tout ce que je voudrais, je ne suis pas fier de moi, et je sens que les enfants m'en veulent aussi souvent. »

Il est donc absolument légitime d'obtenir une compensation. Celle-ci peut aussi déculpabiliser celui ou celle qui est parti et lui permettre de s'en « tirer à bon compte ». Mais toute la question est l'évaluation du désastre subi.

Il est clair que l'argent ne pourra en aucun cas compenser les pertes, les manques liés à la rupture. Ce qui est perdu l'est à jamais. Rien ne peut acquitter la dette morale. L'argent ne peut pas compenser quelque chose de l'ordre de l'affectif, des blessures narcissiques, des pertes existentielles. Il ne peut remplir la solitude. Évaluer la souffrance n'est pas possible ; aussi importantes soient-elles, les prestations compensatoires ne pourront combler les manques.

Même lorsque le couple est séparé, chargé d'affects négatifs, l'argent relève encore de la logique de l'intime. On ne sera jamais tout à fait quitte. On se sépare sur des dettes insolvables. Alors faut-il s'enferrer dans les contentieux interminables qui risquent d'instrumentaliser les enfants ? Jusqu'où avons-nous intérêt à nous battre ? À partir de quand lâcher prise ?

Oui, celle-ci aura perdu tant d'années de sa vie auprès de son goujat de mari. Oui, celui-là aura perdu ses illusions, tel autre sa maison. D'accord, c'est injuste, on ne le méritait pas. Comment évaluer l'amour qu'on a donné, le respect qu'on n'a pas reçu, les frustrations quotidiennes, les humiliations répétées, les silences imposés ?... Mais à part se le répéter, on ne peut rien faire d'autre, hormis accepter le fait que les pertes sont inévitables, injustifiables, non remboursables, d'avoir subi une injustice et qu'elle perdure. C'est à ce prix qu'on se libère du passé. Non qu'il faille renoncer à se battre, mais se faire à l'idée que ce ne sont pas des euros qui combleront ces pertes, même s'ils sont les bienvenus.

Arrive le calcul intérieur suivant : « Ai-je plus à gagner en continuant à empoisonner la vie de mon ex, à poursuivre la vengeance, ou plus à perdre dans ce combat ? Quel sens cela a-t-il pour moi ? » Poursuivre la guerre est parfois inconsciemment une manière de maintenir un lien, même sur un plan négatif. Les combats contre l'autre occupent le vide laissé par son absence. Souvent, les enfants, la maison, les comptes bancaires sont les seules choses qu'on continue à partager après une séparation. Ne pas parvenir à s'entendre sur ces points peut être une manière de ne pas se séparer définitivement, de ne pas lâcher une relation qui perdure dans la douleur. On sait tous les dangers d'instrumentalisation des enfants pris dans les conflits d'adultes. Pour ne pas se laisser entraîner dans des impasses plus douloureuses que libératrices, dans des escalades qui finissent par nous dépasser, il est important de définir ses nouvelles priorités. C'est une manière de se respecter soi-même, de reprendre la main sur le cours de son histoire. Passer par pertes et profits ce qui ne peut être soldé, c'est mettre un point final à l'histoire, et remettre le temps en mouvement. Accepter que de nombreuses « factures » restent non soldées nous libère du passé, nous permet de tourner une page.

Cela suppose de sortir de la compulsion à comprendre. Souvent les blessures restent figées dans l'incompréhension. À force de vouloir comprendre, on s'embourbe dans l'attente de réponses impossibles, car le mal, comme l'amour, est une énigme. Quand on parvient à ne plus se demander pourquoi il (elle) a fait cela, un temps de renaissance devient possible.

Sentiments moraux et intérêts financiers

Démêler les comptes permet de rétablir quelque chose de juste, et de rendre supportable ce qui ne l'était pas. Distinguer ce qui relève de la logique financière ou de la logique affective amène à dénouer les fils de la discorde et ouvrir des perspectives de solutions pour apurer les contentieux. L'argent peut ainsi avoir une fonction pacificatrice. Alors, comment articuler argent et sentiments moraux ? Pour parvenir à une « bonne » séparation, l'intervention d'un tiers est souvent nécessaire. À commencer par le juge qui tente d'estimer tout ce qui peut l'être et qui essaye d'évaluer le prix de la perte, de la souffrance. Mais on peut aussi, notamment depuis 2002, en passer par une médiation familiale[3].

Jean-Marc et Marie ont eu ensemble deux enfants. Marie décide de partir, Jean-Marc semble accuser le coup, même s'il est meurtri. Ils ont suffisamment de maturité et de sens des responsabilités pour ne pas se déchirer et parviennent à préserver les enfants. D'ailleurs, c'est autour d'eux qu'ils se sont organisés. Les enfants continuent à vivre dans la maison familiale, les parents ont pris chacun de leur côté un appartement et viennent à tour de rôle une semaine chacun vivre avec les enfants. Malgré leur bonne entente, ils ont décidé de mettre en place une médiation pour régler la question de la répartition des charges d'entretien de la maison familiale et des dépenses des enfants.

Les premiers entretiens ont permis au couple de prendre conscience de la réalité des choses. À partir de l'établissement très concret d'un budget familial, Marie et Jean-Marc se sont rendu compte que leur train de vie actuel, qui semble convenir à tout le monde, fait apparaître des dépenses largement supérieures aux ressources. Devant ce constat, ils expliquent qu'en fait ils n'avaient jamais vraiment compté puisqu'ils « comptaient » sur leurs parents respectifs pour arrondir leurs fins de mois. Toute la question fut alors de savoir comment désormais financer des dépenses supérieures aux rentrées. Pensaient-ils continuer à demander aux parents, par ailleurs vieillissants, ou avaient-ils pensé à une autre solution ? Jean-Marc et Marie n'en avaient pas. Cette question très concrète permit de faire émerger les conflits latents longtemps étouffés.

Jean-Marc expliqua qu'il en avait assez de continuer comme ça : « Je ne supporte plus d'avoir à gérer les découverts, ni d'avoir à demander aux parents, ça suffit comme ça ! » affirma-t-il plutôt violemment par rapport à sa courtoisie habituelle. « Et puis, comme tu ne gagnes pas grand-chose, tu aurais pu louer un appartement plus petit, tu as toujours dépensé plus que ce qu'il fallait, au lieu de t'entêter à vouloir danser, tu pourrais chercher un “vrai” travail. » Évidemment, Marie fut très affectée par cette virulence, c'est comme si elle découvrait quelqu'un d'autre. « Je suis justement partie parce que tu ne croyais pas en ce que je faisais alors que c'est capital pour moi. À présent je prépare un spectacle, ce n'est plus à toi de me dicter ma conduite… Je crois que tu n'as pas accepté notre séparation, quand j'arrive à la maison et qu'il y a un bouquet de fleurs, les enfants me disent : “Papa l'a acheté pour toi”, cela me met mal à l'aise. » À ce moment, Jean-Marc craqua et se mit à pleurer. « Pour moi, notre vie était vraiment chouette, nos amis nous enviaient, ils appelaient notre maison “la maison du bonheur”, ces derniers mois ont été un calvaire, je ne sais pas comment on en est arrivés là… » Marie, touchée par la détresse de son mari, ne pût que redire devant la médiatrice ce qu'ils avaient dû se dire déjà plusieurs fois : « On en a déjà parlé plusieurs fois, j'étouffais, il ne peut pas y avoir de retour en arrière. Je ne pars pas pour quelqu'un d'autre, mais je ne suis plus attachée à notre couple », signifiant bien qu'elle avait aussi fait le deuil de l'absolu du couple. Cette crise ouverte permit de mettre en évidence les deux lignes de tensions qui s'opposaient implicitement derrière la question de l'argent, à savoir, d'un côté, le réel du financement de la séparation et, d'un autre, le deuil de cette séparation. Les deux niveaux à présent différenciés pouvaient alors être abordés chacun dans leur logique propre.

Au cours du cinquième entretien, l'objectif de la médiatrice était d'aborder et d'avancer sur le premier point. Devant l'absence de propositions nouvelles des médians, elle lança une suggestion : « Avez-vous envisagé la vente de votre maison ? » Un silence « plein » suivit, au cours duquel Jean-Marc et Marie reprirent en main le budget, refirent chacun de son côté des calculs, tout en exprimant leur déstabilisation : « Je n'ai jamais pensé à ça, dit Marie. Mes enfants sont tous nés dans cette maison, elle est importante pour eux et pour moi, la vente symboliserait vraiment la fin de quelque chose... » Faire le deuil de la famille, c'est autre chose que faire le deuil du couple. Pour Marie, perdre cette maison, c'était perdre l'image de la famille, cela représentait encore une autre étape. Jean-Marc, de son côté, se saisit de cette suggestion. « Tu vois, je viens de réaliser que ce serait la meilleure solution pour nous. On éviterait tous les doublons, on n'aurait pas la charge de trois lieux de vie, avec l'argent on pourrait acheter un appartement décent pour chacun. Et puis, moi, c'est décidé, maintenant je veux divorcer. Ce n'est pas facile, mais je pense que c'est ce qu'il y a de mieux pour nous quatre. Et puis j'ai besoin de tourner la page, cette maison est trop lourde de souvenirs. » Depuis la dernière rencontre, Jean-Marc avait fait son chemin et avait intégré l'idée de la séparation qu'il souhaitait maintenant concrétiser par la vente de la maison.

Au cours de la séance suivante, Marie admit que c'était la seule solution possible et raisonnable, même si elle était difficile à vivre pour elle. On mesure à quel point le temps d'élaboration est différent pour chacun et qu'il est important que cette différence soit respectée. Vint alors la question de la négociation. Jean-Marc n'entendait pas céder grand-chose à Marie. « Je te rappelle que la maison a été achetée en partie avec l'héritage que j'ai fait de ma famille, et c'est moi qui ai payé le crédit. » Marie fut là encore outrée, médusée : « Je ne te reconnais plus, je ne pensais jamais que tu serais capable de telles paroles. On a toujours tout partagé, tu étais d'accord pour que j'arrête de travailler. À ce compte-là, je vais calculer tout ce que mes parents nous ont donné quand on ne s'en sortait pas. Et puis, toute la déco, c'est moi qui l'ai faite, tu oublies ça ? » Comment faire valoir à l'autre la valeur du travail « invisible » ? « Tu veux me faire payer quoi, dans tout cela, le fait que j'aie décidé de partir ? Est-ce que tu crois qu'elle a été facile, cette décision ? C'est comme si tu effaçais tout ce qu'on avait vécu de bien ensemble en ne reconnaissant pas la part de mon apport à moi. » Et elle se mit à pleurer. Quand elle parvint à se reprendre, elle semblait décidée : « Puisque tu veux faire les comptes, eh bien moi aussi, je vais les faire, je vais chiffrer tout ce que j'ai fait pour la famille pendant vingt ans ! »

Lors de la sixième séance, Jean-Marc commença ainsi : « J'ai beaucoup réfléchi, et j'ai bien compris que ma position n'était pas juste au regard de tout ce que nous avons vécu ensemble. Et puis, continuer sur un pied de guerre, ce n'est pas possible pour les enfants. C'est logique que l'on partage tout en deux, j'ai aussi compris que ce n'était pas si facile que ça pour toi... » Les démarches par consentement mutuel se déroulèrent alors sans encombre.

L'aide d'un tiers peut permettre au système, même blessé, de fonctionner. Avec un peu d'intelligence, on arrive à ne pas tout mélanger, à séparer le niveau conjugal et le niveau parental, à ne pas régler les comptes du couple sur le dos des enfants, et à mettre en évidence et les enjeux financiers réels et les demandes de reconnaissance légitimes. On peut réhumaniser les liens, les moraliser même s'ils sont en grande partie rompus.

Pour démêler la question de l'argent, il faut du temps et y aller par petites touches. Ensuite on peut régler les problèmes financiers en faisant appel à des sentiments moraux. Il importe alors de prendre en compte les intérêts d'autrui et d'entendre sa souffrance. Même séparés, on peut reconnaître le monde de l'autre, ce qui est une manière de le respecter et de se libérer. Rompre, quitter quelqu'un, ne nous dispense pas d'être responsable, honnête, courageux. On peut sortir d'une relation qui ne fait plus sens pour nous, qui a été douloureuse, mais ce n'est pas une raison pour ne pas reconnaître l'importance qu'elle a pu avoir dans notre vie. Il n'est rien de plus terrible que le déni. Ne pas reconnaître la souffrance infligée, ne pas regarder en face sa part de responsabilité dans la détresse de l'autre, rejeter totalement le passé, c'est s'enferrer dans l'indignité. Traître, soit, mais pas lâche. Être infidèle ne dispense pas d'être reconnaissant en gardant en soi la trace de ceux qui ont été des artisans de notre histoire, acteurs sacrifiés de notre croissance. Accéder à sa dignité, ce n'est pas ne pas trahir, c'est reconnaître ses dettes. Assumer notre responsabilité peut aider l'autre à se reconstruire.

Il y a une vie après la séparation

Le travail de déconstruction du lien ne peut pas faire l'économie d'un travail personnel. Passer du « nous » au « je » nécessite un renforcement de ce « je » qui s'est peut-être un peu dilué dans la vie commune. Consolider son estime de soi, la restaurer, est essentiel, notamment en changeant de regard sur nous-mêmes.

Rien de tel que de sortir de sa position de victime. Le couple est une aventure à deux, et à moins d'être dans des problématiques pathologiques (violence, manipulation, perversion...), chaque partenaire a sa part de responsabilité dans son évolution. Les relations s'organisent autour de la représentation que chacun a de soi-même. Par exemple, l'un doit se percevoir comme faible, passif, sans valeur, pour que l'autre s'autorise à être dominant, agressif. Penser le couple, c'est le penser en termes d'interactions. Chacun est à la fois agissant et agi. Pendant tout un temps, le jeu relationnel fonctionne parce qu'il y a acceptation implicite et réciproque des rôles. Jusqu'au jour où, l'un des deux ne s'en satisfaisant plus, le couple est interrogé dans sa capacité à se transformer. Sortir de sa position de victime permet d'échapper à l'enfermement que représente la recherche d'un « coupable » à punir.

Solder les comptes passe aussi par l'évaluation de sa propre implication dans le processus. Admettre que l'autre n'a pas tous les torts nous aide à introduire un peu plus de justice, et de justesse, dans l'analyse, et restaure aussi l'image de soi-même. Sortir de sa position de victime est une manière d'accéder à sa dignité.

> « C'est en rencontrant Michel que je me suis aperçue que j'avais dû être trop "mère" avec mon ex. C'est vrai que j'ai une mère qui a tout sacrifié pour ses enfants... mais ce n'est pas une raison. »
>
> « J'ai perdu mon père très jeune, et inconsciemment, je crois que j'ai voulu que Jean-Michel m'apporte tout ce qui m'a manqué. Ce n'était pas possible. »

Se remettre en cause après un échec permet d'éviter de répéter les mêmes erreurs. La rupture peut être une occasion de repérer, pour les transformer, les processus inconscients qui nous agissent et nous conduisent bien souvent là où on ne voudrait pas être. Les échecs peuvent être des occasions pour se libérer des mandats transgénérationnels impossibles, des attentes qui nous ligotent.

« Après la terrible période de deuil, je me suis sentie libérée, j'ai beaucoup parlé avec une amie, et j'ai beaucoup réfléchi. J'ai toujours douté de moi, je crois que pendant longtemps je pensais qu'il était impossible qu'un homme m'aime.

Quand j'ai rencontré Henri, j'avais peur de le décevoir, et j'étais persuadée qu'il se rendrait vite compte que j'étais nulle. À force de ne pas accepter son amour, je l'ai détourné de moi. J'avais peur d'être aimée par un homme, alors je me suis arrangée inconsciemment pour me faire larguer : comme ça, ça confirmait bien mes préjugés. »

Des séquelles œdipiennes : on voit dans le regard du partenaire le regard d'un parent, ce qui génère culpabilité et interdit. Des loyautés invisibles : on ne s'autorise pas un amour, un bonheur, une réussite que ses parents ou sa fratrie n'ont pas pu vivre. Une fragilité narcissique : « Je ne vaux rien, donc on ne peut pas m'aimer. » S'interroger permet de remettre en mouvement un processus d'évolution personnel, et nous aide à retrouver notre juste valeur.

Vient le moment de se demander ce que l'on veut faire de ses souffrances. S'y enfermer, en sortir ? La question peut paraître provocatrice. On pense souvent que la souffrance rend passif. Ce n'est qu'une représentation parmi d'autres. Dans un même mouvement elle s'éprouve et se réprouve, pur refus d'elle-même, impossible consentement à ce qu'elle est, irrémissible attachement de la vie à elle-même. La souffrance est un appel de la vie, elle est une manifestation de notre désir de vie.

Si la souffrance nous terrasse pendant un temps incompressible, elle ne nous empêche pas de nous relever ensuite. La liberté est préservée là même où vacillent tous nos savoirs. L'exigence d'autre chose surgit. Au point aveugle où la souffrance immobilise l'existence, nous ferme au monde, où s'abîment les significations, elle réclame une nouvelle institution du sens. Elle nous situe au cœur d'une dialectique : arrêt, elle est aussi tension ; fermeture, elle contient la force de l'appel ; solitude, elle est aspiration à la rencontre. Aujourd'hui, nous nous sommes laissé enfermer dans une représentation de la souffrance qui nous enlève toute force de réaction, qui nous fige dans des positions de victimes. Dans l'idéologie des marchands de bonheur règne une assignation à la joie permanente étouffante.

Être triste, déprimé, souffrir, accepter les pertes, ce n'est pas drôle, certes, mais ce sont des moments inévitables dans une existence, qui font mûrir, nous permettent de faire des choix, de définir des priorités. Ces périodes de détresse nous font découvrir des ressources insoupçonnables en nous et autour de nous, distinguer entre les « vrais » amis qui peuvent répondre présents et les autres. Ces moments difficiles ont leur utilité. On y prend de l'épaisseur, de la densité. Les bleus au cœur, les cicatrices nous donnent une certaine profondeur. Après ces expériences, nous n'avons pas le même rapport à la vie, aux êtres, à nous-mêmes. Nos contes se transforment, se renouvellent. Oui, on a été détruit, mais cette destruction même peut être le point de départ d'une belle renaissance.

En ce XXIe siècle, nous avons de la chance : nous sommes les héritiers de nombreuses conceptions de la souffrance qui interroge l'humanité depuis les origines ; et finalement, devant la souffrance, nous sommes bien plus libres qu'il n'y paraît. Nous avons à notre disposition un éventail impressionnant : de l'attitude stoïque au rire de Zarathoustra, du déni pathologique à la jouissance de la plainte, de la sagesse zen au mysticisme, chacun peut désormais entretenir avec sa souffrance un lien original, unique.

Alors que faire de ses souffrances ? De celles de l'autre, des nôtres propres, de celles qu'autrui réactive en soi ? En jouer ! Non, ce n'est pas se moquer que de proposer le jeu. Jouer est une activité noble, c'est le lieu de notre créativité. À n'importe quel moment de la vie, il est possible de jouer avec certains aspects de notre expérience historique et actuelle, les dé-jouer pour les re-jouer autrement. Notre capacité à transformer les images de notre passé, à ne pas les figer et à y introduire de la mobilité, de la plasticité, nous permet de nous ouvrir véritablement au potentiel de notre présent. Sans les dénier, le jeu peut rendre moins encombrants certains événements de notre existence. On ne peut pas changer ce qui fut, mais on peut sans cesse changer notre rapport au passé, le voir autrement. Sans s'effacer, le traumatisme peut prendre alors moins de place à l'intérieur de soi.

Or une des sources de la souffrance, c'est l'attente : on attend d'être reconnu, on attend qu'il (elle) revienne, on attend qu'il (elle) change, qu'il (elle) nous donne ce qui est important pour soi… L'attente nourrit l'insatisfaction. Elle nous ronge les ailes, elle nous immobilise à l'endroit de nos manques. Peut-être, pour ne pas brûler notre espérance, devons-nous renoncer à attendre. Ne rien attendre pour tout recevoir.

Conclusion

En fin de conte, à qui rendre des comptes ?

Ce parcours nous aura fait entrevoir une part de la complexité des liens qui existent entre un individu et sa sphère affective. À tous ces comptes que le sujet moderne doit faire dans son intimité, s'ajoutent ceux qu'il a à gérer dans sa vie professionnelle, amicale, associative. Les diverses figures du juste que la famille tente péniblement de mettre en place sont souvent en opposition avec ce qui se donne à voir dans la société. Quand une entreprise licencie et que le P-DG reçoit des sommes astronomiques en stock-options par exemple, ou que pour le remercier de sa mauvaise gestion et le féliciter de son esprit responsable, il bénéficie de « parachutes dorés » équivalant à des années d'un salaire que les employés ne pourront jamais toucher, quel message de justice envoie-t-on, quelle valeur accorde-t-on aux contrats, de travail par exemple ? Quand les lois sont bafouées par ceux qui nous gouvernent, comment les faire appliquer avec rigueur par les candidats à la délinquance ? Dans un contexte soumis à la loi du profit immédiat, on demande aux familles d'insuffler le sens de l'équité, de l'engagement responsable, ce qui fait peser sur elles une tâche identique à celle d'Hercule quand il nettoya les écuries d'Augias !

En dernier ressort, nous ne pouvons faire l'économie de rendre des comptes à notre conscience morale. Dans un monde à la fois plein de possibles et inquiétant, pour faire face à sa vulnérabilité, le sujet en quête de repères ne doit-il pas cultiver ce que Rousseau appelait cette « voix intérieure qui est le vrai guide » ? Peut-être faut-il aider cet homme, cette femme, à habiter ce territoire intime, un peu négligé, un peu oublié qu'est la conscience morale. L'intime est ce lieu intérieur qui nous permet d'être en lien avec tout ce qui est extérieur à nous, cet espace où s'articulent sans qu'on y porte attention le singulier et l'universel, qui accueille en lui le familier et l'étranger, le connu et l'inconnu, le visible et l'invisible. Un lieu qui nous appartient, qui se trouve en nous et qui en même temps transcende nos individualités. Et c'est bien en grande partie dans les sphères de sa vie affective que l'individu peut faire cette expérience fondatrice d'une subjectivité ouverte sur le monde, et nourrie par lui. Bien évidemment, cette conscience morale, ce n'est pas du moralisme : il n'est pas question d'obéissance à une « bien-pensance », ni de dévotion qui détruirait dans l'œuf l'impulsion éthique. Il s'agit pour l'individu complexe, tiraillé, déchiré de trouver au sein de sa conscience morale la possibilité d'une réconciliation – réconciliation de toutes ses identités éparses, plus ou moins morcelées, qui ne serait possible que dans une ouverture au non-soi, à tout ce qui n'est pas lui.

Selon une analyse somme toute très hégélienne, on pourrait dire que la société a atteint une certaine phase de son développement, qui doit, à présent, être à son tour dépassée. Nous avons atteint une certaine forme de liberté, celle des droits – encore qu'ils soient souvent bafoués –, celle du citoyen – encore qu'il ne soit pas toujours respecté –, celle universelle des droits de l'homme – encore qu'ils ne soient pas reconnus partout. Cette liberté ainsi atteinte, même partiellement, est une étape essentielle, car la conscience morale présuppose une volonté libre, autonome, sans laquelle l'éthique serait un vain mot. Mais selon Hegel, la liberté ultime serait la liberté de l'esprit ouvrant sur la spiritualité. La force de la spiritualité permet de dépasser l'opposition entre l'un et le multiple, le même et l'autre, l'intelligible et le sensible. En clair, nous accédons à une spiritualité qui serait le signe de notre liberté morale agissante quand nous parvenons à concilier les oppositions et les contraires auxquels nous sommes soumis comme être humain, entre le fini et l'infini. Se reconnaître comme conscience morale, c'est se reconnaître dans sa singularité et dans son universalité, dans ses appartenances et dans ses trahisons, dans ses fidélités et dans son autonomie. Mais pour y parvenir, il faut d'abord avoir éprouvé sa singularité, avoir affirmé son soi suffisamment pour l'exposer au non-soi.

L'ouverture à l'universel amène à se déprendre de soi, en découvrant comment le plus lointain est aussi le plus proche, comment le plus étranger peut aussi être familier, en explorant non seulement ce qui différencie les individus, mais également ce qui leur est commun. L'éthique serait cette possibilité de dépasser les singularités, après avoir pu les reconnaître. La conscience morale devient véritablement créatrice de liens, elle ne nous limite pas aux liens familiaux, aux proches, elle nous rend sensibles à tous ceux que l'on ne connaît pas, elle ouvre les frontières de la famille, elle nous ouvre à la vie, à un espace et à un temps au-delà de nous-mêmes, nous introduisant dans une transcendance qui n'a rien à voir avec la métaphysique, ni le mysticisme. Accompagner les individus dans la formation de cette conscience morale deviendrait alors un enjeu essentiel du XXIe siècle. Comment la mettre en place ?

C'est bien plus facile qu'on ne l'imagine au premier abord. Il ne s'agit pas de charger la famille d'une tâche supplémentaire, mais au contraire de mettre en évidence tout ce qu'elle fait déjà pour cela, à la manière d'un M. Jourdain qui faisait de la prose sans s'en apercevoir. Pour accéder à l'universel de l'humain, voici ce qu'Emmanuel Kant recommandait : « Agis de façon telle que tu traites l'humanité aussi bien dans ta personne que dans la personne de toute autre, toujours comme une fin, jamais comme un moyen[1]. » Dans cette logique, en s'appuyant sur du quotidien, quand au sein des relations parents-enfant, dans un couple, dans une fratrie on arrive à agir avec l'autre comme on voudrait qu'il agisse avec nous, quand on se conduit envers lui comme on voudrait qu'il se conduise avec nous, quand les règlements de comptes nous aident à intégrer la part de l'autre, nous sommes tout simplement en train de mettre en place cette ouverture à l'universel. Intégrer la part de l'autre, c'est le ciment du lien. Les sphères de l'intime, en étant les lieux des petits règlements de comptes, permettent à l'individu de s'éprouver comme conscience morale ; il appartient ensuite à chacun de la mettre en œuvre dans tous les domaines de sa vie, professionnel, amical, associatif, citoyen. L'aventure de l'humain tient sa magie du fait qu'elle peut s'éprouver dans chacun de nos gestes.

Notes

1. Peut-on échapper aux petits règlements de comptes dans l'intimité ?

1. P. Ricœur, *Parcours de la reconnaissance*, Stock, 2004.

2. S. Weil, *L'Enracinement*, Gallimard, « Folio Essais », 2001 : « Presque toutes nos actions simples ou savamment combinées sont des applications de notions géométriques, l'univers où nous vivons est un tissu de relations géométriques et la nécessité géométrique est celle à laquelle nous sommes soumis, en fait, comme créatures vivant dans l'espace et dans le temps. »

3. À *aleph*, qui correspond à *a*, est associé le chiffre 1, ainsi de suite. Cela fait apparaître des choses souvent étonnantes. Par exemple : le mot « père » en hébreu a comme valeur numérique le chiffre 3. Celle du mot « mère » est égale à 41. Et la valeur numérique du mot « enfant » ? 44 ! Un enfant est la résultante de ses deux parents, mais c'est un être nouveau qui ne saurait exister dans la répétition ni de son père ni de sa mère.

4. M. Mauss, *Manuel d'ethnographie*, Payot, 1967.

5. J.T. Godbout, *Ce qui circule entre nous*, Le Seuil, 2007.

6. E. Levinas, *Autrement qu'être, ou au-delà de l'essence*, Le Livre de Poche, 1990.

7. B. Cyrulnik, *Le Murmure des fantômes*, Odile Jacob, 2003.

8. J.T. Godbout, *Ce qui circule entre nous*, *op. cit.*

9. N. Journet, « L'argent en famille », *Terrain*, n° 45, 2005.

2. Avec tout ce que j'ai fait pour toi !

1. Nous ne sommes évidemment pas ici dans le cadre de situations pathologiques où certaines carences peuvent être destructrices pour l'enfant.

2. B. Cyrulnik, *De chair et d'âme*, Odile Jacob, 2006.

3. D.W. Winnicott, *De la pédiatrie à la psychanalyse*, Payot, 1958.

4. P. Ricœur, *Parcours de la reconnaissance*, *op. cit.*

5. E. Baumgartner, P. Ménard, *Dictionnaire étymologique et historique de la langue française*, Le Livre de Poche, 1997.

6. Rémi est le héros de *Sans famille* d'Hector Malot. Nous sommes en 1878, Vitalis le tâte comme on le ferait d'une vache. Il évalue son prix : 90 francs ? Plus ? Sa nourrice fait bien une tentative : « mais c'est le plus bel enfant du village », dit-elle. Cette remarque du registre de l'esthétique, de l'affectif aura peu de poids dans cet échange marchand. La pratique était en cours aussi dans les institutions de l'époque, orphelinats et hospices, qui vendaient ou louaient les enfants abandonnés.

7. Dans certaines contrées, une fille vaut moins qu'un garçon, et le travail des enfants dans les pays pauvres ne peut être ignoré.

8. Établi par la Confédération syndicale des familles, à partir de l'étude Ipsos 2003. Voir *La Grande Encyclopédie des parents et de la famille*, Fleurus, 2006.

3. Je ne veux rien devoir à personne !

1. P. Ricœur, *Parcours de la reconnaissance*, *op. cit.*

2. *Ibid.* « Mêmeté » : ce qui reste identique sous les changements ; je reconnais ce qui persiste à travers les changements. Je garde mes yeux bleus, même si j'ai des rides et que je pleure ou souris. « Ipséité » : je ramène à moi les divers changements ; même si mes cheveux sont passés du brun au blanc, puis à la couleur, je les reconnais comme les miens ; je ne connaissais pas mes cheveux blancs, mais je les reconnais comme miens.

3. Voir « Le coût de l'enfant », *Informations sociales*, n° 137, janv. 2007.

4. Étude Ipsos 2001. De six à neuf ans, l'argent de poche est de 2 euros par semaine. Entre dix et treize ans, il passe progressivement de 3 à 5 euros. Entre quatorze et dix-huit ans, il s'élève jusqu'à 8 euros en moyenne. 75 % des enfants de six à vingt-cinq ans reçoivent une somme. Avant huit ans, elle est utilisée à des achats d'impulsion (dont un tiers pour bonbons et confiseries) ; après huit ans, à des achats de disques, vidéos, magazines, au cinéma…

4. Les solidarités intergénérationnelles

1. J.-H. Dechaux, « L'entraide familiale au long de la vie », *Informations sociales*, n° 137, janv. 2007.
2. J. Ogg, S. Renaut, « Les solidarités intergénérationnelles », *Informations sociales*, n° 134, sept. 2006.
3. *Ibid.*
4. *Ibid.*

5. Les héritages familiaux : cadeaux ou fardeaux ?

1. A. Gotman, *L'Héritage*, PUF, « Que sais-je ? », 2006.
2. Pierre Fédida, cité par A. Gotman, *op. cit.*
3. Voir A. Muxel, *Individu et mémoire familiale*, Nathan, 1996.
4. *Ibid.*
5. A. Gotman, *L'Héritage*, *op. cit.*
6. *Ibid.*
7. Voir B. Prieur (sous la direction de), *Les Héritages familiaux*, ESF, 1999.
8. N. Prieur, *Amour, famille et trahison, Se détacher pour mieux s'aimer*, Marabout, 2008.

6. « Tenir compte » de l'autre

1. E. Levinas, *Totalité et infini*, LGF, 1990.
2. G. Rizzolatti, discours prononcé à l'Académie des sciences, 12 décembre 2006.

3. Pour une analyse complète des différents mythes, voir N. Prieur, *Amour, famille et tradition, op. cit.*

7. La fratrie à l'épreuve de la mort des parents

1. Le Code civil prévoit « une quotité disponible », qui peut être distribuée à quiconque au sein de la famille, et en dehors, et qui peut favoriser un ou plusieurs enfants de la fratrie. Par ailleurs, la réglementation des assurances-vie fait que les sommes transmises ne font pas partie de l'héritage en tant que tel. Le cadre actuel n'élimine pas totalement les inégalités.

2. N. Journet, « L'argent en famille », art. cit.

3. A. Gotman, *L'Héritage, op. cit.*

8. De tendres règlements de comptes

1. Entretien de Jacques Derrida avec B. Stiegler, DVD, Blackout Collection.

2. P. Caille, *Un et un font trois*, ESF, 1991.

3. B. Prieur, S. Guillou, *L'Argent dans le couple*, Albin Michel, 2007.

4. F. de Singly (sous la dir. de), *L'Injustice ménagère*, Armand Colin, 2007.

5. *Ibid.*

6. Judith Butler, citée par F. de Singly, *op. cit.*

7. M. Merleau-Ponty, *L'Œil et l'Esprit*, Gallimard, « Folio essais », 1990.

8. F. Roustang, *La Fin de la plainte*, Odile Jacob, 2000.

9. J. Aley, *Changer les couples. Conversations avec Milton H. Erickson*, ESF, 1997.

9. La violence des règlements de comptes

1. B. Prieur, S. Guillou, *L'Argent dans le couple, op. cit.*

2. *Ibid.*

3. La médiation familiale a fait son apparition dans le Code civil par la loi du 4 mars 2002, et la création d'un Conseil national de la

médiation en donne la définition suivante : la médiation familiale est « un processus de construction ou de reconstruction du lien familial axé sur l'autonomie et la responsabilité des personnes concernées par des situations de ruptures ou de séparations, dans lequel un tiers impartial, indépendant, qualifié et sans pouvoir de décision – le médiateur familial – favorise à travers l'organisation d'entretiens confidentiels leur communication, la gestion du conflit dans le domaine familial entendu dans sa diversité et dans son évolution ».

Conclusion

1. E. Kant, *Fondements de la métaphysique des mœurs*, in *Œuvres philosophiques*, Gallimard, Bibliothèque de la Pléiade, 1980.

Table

DU MÊME AUTEUR

Parents-adolescents : des rendez-vous manqués ?
Casterman, 1976.

Grandir avec ses enfants.
Comment vivre l'aventure parentale,
La Découverte, 2001 ; Marabout, 2007.

Amour, famille et trahison,
Denoël, 2004 ; Marabout, 2008.

Arrêtez de vous disputer !
(avec Isabelle Gravillon), Albin Michel, 2005.

Raconte-moi d'où je viens,
Bayard, 2007 ; Marabout, 2009.

Site de l'auteur :
www.parolesdepsy.com

Composition : IGS-CP
Impression : CPI Firmin Didot, juin 2020
Éditions Albin Michel
22, rue Huyghens, 75014 Paris
www.albin-michel.fr
ISBN : 978-2-226-19317-9
N° d'édition : 16813/08 – N° d'impression : 158870
Dépôt légal : octobre 2009
Imprimé en France